Y0-CCV-712

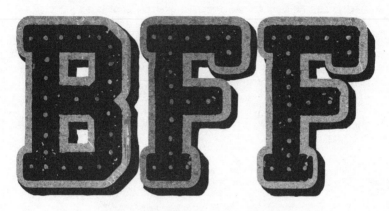

8. CŒURS BRISÉS

GENEVIÈVE GUILBAULT

MARILOU ADDISON

Catalogage avant publication de Bibliothèque et Archives nationales du Québec et Bibliothèque et Archives Canada

Titre : BFF / Geneviève Guilbault, Marilou Addison.

Noms : Guilbault, Geneviève, 1978- auteure. | Addison, Marilou, 1979- auteure. | Guilbault, Geneviève, 1978- Cœurs brisés.

Description : Romans. | Sommaire incomplet : 8. Cœurs brisés.

Identifiants : Canadiana 20159426952 | ISBN 9782897461966 (vol. 8)
Classification : LCC PS8613.U494 B44 2016 | CDD jC843/.6—dc23

Public cible : Pour les jeunes de 10 ans et plus.

© 2019 Andara éditeur inc.

Tous droits réservés. Aucune partie de ce livre ne peut être copiée ou reproduite sous quelque forme que ce soit sans la permission de Copibec.

Auteures : Marilou Addison et Geneviève Guilbault
Illustrations : Mika
Graphisme : Julie Deschênes

Dépôt légal — Bibliothèque et Archives nationales du Québec, 2ᵉ trimestre 2019

ISBN 978-2-89746-196-6

Gouvernement du Québec — Programme de crédit d'impôt pour l'édition de livres — Gestion SODEC

Andara éditeur remercie la SODEC pour l'aide accordée à son programme éditorial.

Imprimé au Canada

Financé par le
gouvernement
du Canada

À Laurianne et Simone,
voici enfin le tome 8 !

Marilou

À Évelyne Létourneau,
une jeune fille au sourire magnifique
et au courage admirable.

Geneviève XXX

Il faut qu'on se parle, Nadeige! Je sais que tu es très en colère, mais TU DOIS me laisser t'expliquer!

Réponds-moi, s'il te plaît!

***

Nad, c'est encore moi. C'est bon, j'ai compris, tu es fâchée.

Et comme tu refuses de répondre à mes appels (et d'ouvrir la porte quand je prends la peine d'aller jusque chez toi!), je vais te bombarder de textos!

Tu dois connaître la vérité, Nad! Tu dois savoir que je ne suis pas amoureuse de Sasha.

Je ne le trouve même pas attirant!

Si je l'ai embrassé, c'était seulement pour le protéger de Jordane, tu comprends? Je n'ai éprouvé AUCUN plaisir à faire ça!

Réponds-moi ! *Pleeeeease !*

✳✳✳

NAAAAAD ! Je panique un peu, là !

Où es-tu ? Que fais-tu ? Avec qui ?

✳✳✳

Je m'excuse, d'accord ? J'ai merdé ! Je suis la pire meilleure amie de tous les temps. 😔

Si je pouvais revenir en arrière, je le ferais ! Mais je n'ai pas la télécommande de ma vie.

Ce qui est fait est fait.

On passe à autre chose ? On oublie tout ? On efface et on recommence ? On passe l'éponge ?

Réponds, je t'en prie…

Si ça continue, je vais croire que tu ne veux plus être mon amie POUR VRAI.

Je sais que c'est impossible. Toi et moi, c'est pour la VIE ! ∞

N'est-ce pas ?

Hein ?

C'est exactement ça, Émy. Lis bien ce qui suit, parce que c'est la dernière fois que je l'écris : JE NE VEUX PLUS DE TON AMITIÉ !!!

NADEIGE

Je tourne lentement le tube pour que le rouge à lèvres en sorte doucement. La couleur me semble correcte, mais j'ai lu quelque part que, pour savoir si elle m'allait, je devais étendre le rouge sur la peau de ma main. C'est ce que je compte faire, si je réussis à...

ARGH!

Sans que je le veuille, le mécanisme se bloque alors que j'ai sorti le rouge à lèvres en entier! Qu'est-ce que c'est que ça?! Comment on fait pour se maquiller avec un truc pareil? Je force le dispositif, mais ça ne fait que tourner dans le vide.

Frustrée, je repose brutalement le tube sur le présentoir, sans remettre le bouchon. Je m'assure tout de même qu'aucune vendeuse ne m'a vue. Non. J'ai le champ libre. Et comme je n'ai pas dit mon dernier mot, je me déplace subtilement en direction des mascaras.

Wouah...

Il y en a tellement que je ne sais pas lequel choisir. Je tends le bras et saisis le premier à ma hauteur. Voyons voir ce qu'il dit…

« Méga volumisant ».
Euh... ça donne un volume ?
Pas certaine de comprendre.

« Waterproof ».
Ah... c'est bon à savoir, je pourrai me baigner avec. Sauf que ça risque d'être un problème quand je voudrai me nettoyer le visage. D'ailleurs... il va falloir que je me lave la face, à la fin de la journée, avec tout ce maquillage ? Pas sûre que ça me tente...

« Curling ».
Des courbes ? Ce sont des cils !
Pas des cheveux ! Je n'y comprends plus rien.

Et très franchement, je n'ai pas tant le goût d'y comprendre quelque chose. Mais parce que je me suis donné une mission, je ne perds pas espoir et je me tourne vers le vernis à ongles.

C'est sûrement plus simple que tous ces cosmétiques que les femmes s'appliquent sur le visage. On choisit une couleur, et c'est tout!

Je me dirige donc d'un bon pas vers les étagères de vernis, au bout de la rangée. Une fois sur place, j'attrape la première couleur qui me plaît (du mauve très, très foncé) et tente de lire ce qui est inscrit sur la bouteille. Mais une main dont les ongles sont déjà vernis à la perfection m'arrache carrément la bouteille et la repose sur l'étagère. Le tout, avec un petit gémissement de frustration.

En retenant un soupir d'impatience, je pivote vers celle qui a accepté de se joindre à moi dans mon magasinage typiquement féminin. J'ai nommé…

Noémie.
La greluche.

Je sais. J'ai pactisé avec l'ennemie. Mais… j'ai mes raisons.

— Hé, tu es folle! Cette couleur est passée de mode depuis… depuis toujours! me lance-t-elle avec de gros yeux.

— Aaah, tu sais que je m'en fous, de la mode!

Noémie tend le bras, hésite à peine, puis sélectionne une teinte rose pâle. Genre bébé lala! Je secoue aussitôt la tête.

— Non. Aucune chance que je mette ça. Voyons, du rose! C'est pour les filles, ça!

— Je ne veux pas te faire de peine, Nadeige, mais T'ES une fille! Pis si tu veux tant changer ton look, il faut faire ça de façon draco... draconi... c'est quoi déjà, le mot? demande-t-elle en me tendant la bouteille de vernis.

— Ché pas, dis-je, en prenant néanmoins la bouteille du bout des doigts avec dédain.

Noémie sourit lorsqu'elle me voit enfin accepter son choix, puis tourne les talons, non sans lâcher une petite vacherie...

— Si tu lui parlais encore, tu pourrais le demander à Émy-Lee. Miss Je-sais-tout!

Je serre les doigts sur la bouteille.

Ne pas penser à Émy. Surtout, oublier qu'elle a un jour fait partie de ma vie. J'ai tourné la page sur cette amitié néfaste et je n'ai pas l'intention de faire marche arrière. D'ailleurs, peut-être que je devrais vous expliquer ce que je fabrique dans cette pharmacie, à acheter du vernis à ongles...

Je me lance.

Ce matin, j'étais tannée de broyer du noir depuis le retour de mon ex-meilleure amie. (*Ça ne fait que deux jours, mais... ça me paraît une éternité.*) Et ce qui me grugeait le plus, c'était de voir les milliers de textos qu'elle m'avait encore une fois envoyés, la veille. Je les ai donc de nouveau effacés, puis j'ai traîné mon corps jusqu'à la salle de bain. Là, j'ai constaté que les dégâts commençaient à être plus que visibles.

Je ne m'étais pas brossé les cheveux depuis je ne sais plus quand. Mes yeux étaient cernés (*à cause de ces nuits blanches que je passe à ressasser la trahison de... en tout cas*), et mon visage était si pâle qu'on voyait presque les veines en dessous de ma peau. Tout ça parce que je suis à peine sortie de la maison, ce week-end. Ce qui fait que j'avais vraiment l'air d'une loque humaine. Mais à l'intérieur de moi, je sentais un feu bouillir.

La rage. De la rage pure ! C'est que je suis encore tellement en colère à cause de ce que ma supposée *best* et mon ex-chum ont fait dans mon dos !

ILS. SE. SONT. EMBRASSÉS !

Je leur faisais confiance, moi ! Pire, j'avais demandé à Émy de surveiller Sasha. Pas de lui sauter dessus !

J'ai grimacé, devant le miroir. Je me suis trouvée affreuse. Et j'ai décidé que ça suffisait. Il fallait que je fasse quelque chose. Il fallait que je… me venge! Le hic, c'est que je ne m'y connais pas tant que ça, en vengeance, parce que je suis plus le genre de fille qui oublie ce que les autres lui ont fait. Mais cette fois, je ne parvenais pas à oublier.

Alors, je me suis mise à réfléchir. Longtemps. Je suis retournée dans ma chambre et une fois étendue sur mon matelas, j'ai fixé le plafond durant une partie de la journée. Par chance, mes parents semblent comprendre que je vis un moment difficile et ils me laissent tranquille. Quand ils trouvent que je ne mange pas suffisamment (ils sont quand même un peu gossants avec ça), ils m'apportent des collations. Ah! Sans oublier qu'ils me font mille et une recommandations (ils ont encore peur que je sois anorexique, ce qui est totalement ridicule).

Toujours couchée dans mon lit, j'ai saisi la pomme dans le plateau posé sur ma table de chevet et j'ai commencé à la lancer dans les airs, à la hauteur de mon visage. Une fois. Deux fois. Dix fois! Ce n'est qu'à la trentième fois que l'illumination m'est venue. Je savais ce que j'allais faire! C'était si clair que, pour la première fois depuis la trahison d'Émy, j'ai souri.

J'ai voulu me tourner pour prendre mon cellulaire. Sauf que, comme j'avais oublié la pomme dans les airs, elle m'est retombée direct sur la tête. J'allais sûrement avoir un bleu sur l'œil, mais je m'en fichais Avec un peu de fond de teint, ça ne paraîtrait plus.

C'était justement ça, mon idée! Il fallait que je change de look. Que je devienne une autre personne. Mais pas seulement. Je devais surtout me trouver de nouveaux amis. Oh, pas n'importe qui. Il fallait les choisir avec soin. Cela dit, je savais déjà QUI j'allais texter.

C'est pour ça que j'ai téléphoné à la greluche en premier... Si je deviens bel et bien amie avec elle, Émy va s'en mordre les doigts! J'imagine sa tête, quand elle apprendra que la greluche et moi, on est maintenant les meilleures copines au monde! Bon... il faudrait que je cesse de l'appeler la greluche, mais chaque chose en son temps.

N'empêche que ce sera bien fait pour Émy! En ce qui concerne Sasha, par contre, mon plan n'est pas encore arrêté. Je dois trouver ce qui le mettra hors de lui. Et lui fera autant de peine que MOI, j'en ai. Rien de moins...

Je sais, je suis en train de devenir aussi méchante que Noémie. Mais dans la vie, on a deux options. Soit on fait souffrir, soit on souffre. Et moi, je ne veux plus JAMAIS avoir mal comme ça. Plus jamais !

Voilà pourquoi je suis maintenant la grelu… pardon, Noémie à travers les allées de la pharmacie. Elle avance ultra vite, comme si elle connaissait les lieux parfaitement. Ce qui, j'y pense, doit être le cas. Elle tourne dans une rangée, puis s'arrête aussi sec. Je manque de lui rentrer dedans, mais freine juste à temps. Elle ne semble pas s'en rendre compte, car elle me pointe déjà une petite boîte sur laquelle on peut voir une fille à la chevelure superbe.

— Regarde ! Ça te ferait ultra bien, cette couleur. Qu'est-ce que t'en penses ?

— Euh… c'est noir. Et moi, je suis blonde.

— Tsss, je sais, je ne suis pas aveugle ! rétorque Noémie en levant les yeux au ciel. Mais tu parlais de changer de look. Faut savoir ce que tu veux !

Pour lui faire plaisir (et surtout, pour qu'elle me lâche un peu), j'accepte de prendre le contenant et de lire les instructions au verso. Est-ce que je suis prête à aller jusque-là ? À me teindre les cheveux en noir ? Pas sûre…

De toute manière, Noémie est déjà repartie un peu plus loin, pour revenir avec une autre boîte. Tout excitée, elle me la plante sous le nez, en s'exclamant :

— Regarde ! C'est une teinture temporaire ! Ça part avec le shampoing. Mais ça te ferait suuuuuper bien !

Je fixe la boîte. Puis, mes yeux montent vers le visage de la greluche. Pour ensuite revenir à la boîte. Enfin, je réplique :

— Mauve. Sérieux ?

— C'est toi qui disais que tu aimais cette couleur ! T'es dure à suivre, je trouve !

— OK, mais toi, tu disais que c'était passé de mode.

— Pour les ongles, pas pour les cheveux. Et tu n'as qu'à te faire des mèches. Oh non, je sais ! C'est moi qui vais te les faire ! conclut-elle en tapant dans ses mains.

Je ne pense pas pouvoir endurer cette fille encore longtemps...

Non mais, c'était quoi l'idée de vouloir devenir son amie ?! En plus, je me demande toujours comment j'ai pu la convaincre si facilement. À croire qu'elle n'attendait que ça.

À peine un petit texto et c'était dans la poche. Elle était prête à me suivre au bout du monde.

Bon, c'est vrai que la greluche, à voir son visage, elle ne doit pas être capable de résister à l'idée d'une session de magasinage dans le rayon des cosmétiques, mais tout de même. Peut-être que je devrais me méfier. C'est le genre de fille à toujours avoir une idée tordue derrière la tête.

Et puisque je n'ai plus l'intention de faire confiance à qui que ce soit désormais, je repose la boîte sur l'étagère en secouant la tête. Noémie soupire, mais ne dit rien. À la place, elle tourne les talons et continue d'admirer les boîtes dans la rangée.

Ne sachant pas du tout ce qu'il me faut pour mon changement de look, je me contente de la suivre de nouveau dans les allées. Ça lui prend un peu moins de trente minutes pour terminer de remplir son panier, ce qui est suffisant pour que je perde totalement ma bonne humeur. Lorsque nous arrivons aux caisses, elle se tourne vers moi pour que je paie le tout.

Bon. C'est vrai que c'était mon idée, après tout. Sauf que… je ne m'attendais pas à ce que ça me coûte aussi cher! J'écarquille les yeux en entendant le montant que dit la caissière. Ben voyons! C'est insensé!

Je jette un coup d'œil aux articles posés sur le comptoir, et pointe aussitôt la boîte de teinture mauve, que j'avais pourtant remise sur les tablettes. Noémie, à ma droite, hausse les épaules, avant de lâcher :

— Rah ! Change d'air ! Avec ces mèches, personne ne va te reconnaître. Et je te le répète, c'est moi qui vais te les faire. Tu vas voir, on va s'amuser !

Je soupire, puis me mets à fouiller dans ma poche, à la recherche de mon portefeuille. Je n'aurais jamais cru que mon changement de look serait aussi dispendieux. Une fois les articles payés, la caissière ne nous remet même pas de sac de plastique (il paraît que c'est trop polluant et que la pharmacie n'en donne plus). Nous sommes donc obligées, Noémie et moi, de trimballer le tout dans nos bras.

Quand ça va bien...

Je commence sérieusement à me demander si c'est une bonne idée !

Une fois chez moi, je laisse passer la greluche devant moi, en lui indiquant où est la salle de bain. Dans le couloir, nous croisons ma mère, qui fronce les sourcils en ne reconnaissant pas mon amie. Ben… pas mon amie, mais… la greluche, quoi !

Pour ne pas avoir à répondre à ses questions, je presse le pas et referme soigneusement la porte. Puis, c'est l'opération changement de look qui commence. Noémie semble y prendre un plaisir fou, alors que, pour ma part, je suis beaucoup moins enthousiaste.

Elle enfile les gants pour appliquer le liquide puant et ne cesse de placoter (ce qu'elle me dit est sur le point de m'endormir tellement c'est sans intérêt !), tout en m'interdisant de me regarder dans le miroir. Je verrai le résultat seulement à la fin. D'accord. Je veux bien. De toute façon, en y réfléchissant, je m'en fiche pas mal. Tout ce que je veux, c'est changer de tête. Alors, autant que ce soit extrême.

Sauf que… une fois qu'elle a terminé, la greluche pose ses mains sur mes yeux, avant de m'obliger à me pencher dans la baignoire pour me rincer les cheveux. Je me redresse moins de cinq minutes plus tard, une serviette enroulée sur la tête. Noémie me force ensuite à aller jusqu'à ma chambre, et à m'asseoir sur ma chaise de bureau. Elle étale tout le maquillage sur le lit, puis, sans hésiter, elle se met à me barbouiller. Au bout d'une heure (et alors que je suis certaine de ressembler à un clown), la greluche s'éloigne, en tapotant son pinceau sur sa bouche. Elle semble satisfaite.

La voilà qui dépose ses instruments, plante ses yeux dans les miens et, d'un coup sec… retire la serviette pour la lancer sur mon lit. Enfin, elle se tasse pour que je puisse m'admirer dans mon miroir sur pied.

Oh…

Mes. Parents. Vont. M'étriper !

C'est que les mèches sont vraiment apparentes… Et ce maquillage ! Je ne me ressemble même plus !

Noémie colle alors son visage contre le mien et lève le bras pour prendre une photo de nous. Une fois cela fait, elle se dépêche de la mettre sur Instagram, Facebook, Snapchat, alouette ! En me taguant, bien sûr…

Et lorsque je reçois les premières notifications des gens qui ont vu la photo, je ne peux m'empêcher d'avoir un sourire satisfait. Émy a réagi. Comme je le souhaitais, elle a mis un émoji en colère.

Mon plan fonctionne à merveille…

C'est quoi tout ce maquillage?
À quoi tu joues, Nad?

Ah, Émy... tu ne pourrais pas comprendre.

Qu'est-ce que tu veux dire?

Je ne suis plus la fille que tu as connue.

Après deux petits jours? Ben voyons!

Ouais, eh bien, disons que j'ai évolué
très rapidement. C'est le genre
de choses qui peuvent survenir,
quand on subit un gros choc...

Sérieux, de quoi tu auras
l'air à l'école, demain?

Je m'en fiche, de ce que les
autres peuvent penser!

Tu sais que ce n'est pas bon pour le visage, autant de produits chimiques? Tu vas obstruer les pores de ta peau et souffrir de maladies. Tu ne veux quand même pas te retrouver avec un cancer!

Ce n'est pas que tu m'ennuies, mais je voulais te dire…

Est-ce que ce serait possible d'arrêter de m'envoyer des textos? Ça devient lassant, à la longue.

Pardon?

Bien sûr que non, je n'arrêterai pas!

Je suis ton amie! (Et c'est ce que font les amies, au cas où tu l'aurais oublié!)

Désolée, mais il serait temps que tu comprennes le message: je ne suis plus ton amie!

Ta colère va finir par passer, Nad. Bientôt, tout redeviendra comme avant.

Cette fois, ça suffit. J'ai mieux à faire que t'écrire. Tu me fais perdre mon temps.

Si tu continues de m'envoyer des textos, je te bloque, c'est clair?

Arrête de raconter n'importe quoi.

On sera toujours des amies, toi et moi.

N'est-ce pas?

Nad?

OK! Si c'est comme ça, je ne t'écrirai plus!

2

ÉMY-LEE

J'ai tellement pleuré au cours des dernières heures (et des derniers jours!) que ma tête est sur le point d'exploser. Roulée en boule dans mon lit, le visage caché sous les couvertures, j'essaie de mettre de l'ordre dans mes idées. Mais c'est impossible! C'est une vraie tempête à l'intérieur de moi!

Un ouragan!
Un tsunami!
Une tornade!

Entourée de vieux mouchoirs et de sacs de jujubes, je fixe l'écran de mon téléphone dans l'espoir d'avoir des nouvelles de Nadeige. Mais c'est trop espérer… Le message est clair. Plus que ça: il est radical. Cruel. Violent. Comme un coup de poignard en plein cœur.

Elle ne veut plus être ma BFF.

Ces quelques mots peuvent sembler anodins pour quelqu'un d'autre, mais, en réalité, ils sont puissants. Nadeige refuse de me pardonner. Ma meilleure amie de tous les temps n'est plus. Pouf! Disparue! Évaporée! Je me retrouve aussi seule qu'une chaussette dépareillée au fond d'une commode. Vous savez, cette fameuse chaussette qui ne sert à rien parce qu'on a perdu sa jumelle, mais qu'on garde quand même, juste au cas? Eh bien, c'est moi, ça. Et si je ne fais rien, on finira par me jeter aux ordures avec les pommes pourries et les vieux restants de pizza.

Vous pensez que j'exagère? Pas du tout! Je ne suis rien sans Nadeige. RIEN! La preuve, c'est que je viens de passer les deux derniers jours enfermée dans ma chambre à manger des bonbons et à pleurer ma vie. Oui, j'ai bien tenté de réparer les pots cassés, mais sans succès. J'ai fait une gaffe et maintenant, je dois en assumer les conséquences.

Et quelle gaffe!

La pire de toutes. Une trahison de classe mondiale! Rien à voir avec les petites chicanes de cour de récréation. Quel genre de fille embrasse le «presque chum» de sa meilleure amie devant tous les élèves d'une école? Hein? Même si mes intentions étaient bonnes, ÇA NE SE FAIT PAS! Point. Final. Et pour me remettre mon manque de jugement sur le nez, ma best (je ne peux me résoudre à l'appeler autrement) a décidé de se lier d'amitié avec... LA GRELUCHE!

Non mais, sérieux, pourquoi ELLE? Pourquoi pas Delphine? Ou Jackson et Noah? Ou même Talbot, à la limite! N'importe qui sauf ELLE! En fait, je soupçonne Nadeige de l'avoir choisie, ELLE, justement pour me faire réagir. C'est probablement la personne qui a été la plus méchante avec moi sur cette terre! Et le pire dans tout ça, c'est qu'ELLE est en train d'influencer Nad avec des idées tordues comme «se peindre la face avec des tonnes de maquillage» et «se teindre les cheveux couleur Poil de licorne». Quelle peste! (Je parle d'ELLE, évidemment. Pas de Nadeige.)

Je ne sais plus quoi faire. Je me sens si démunie que j'ai l'impression que ma vie n'a plus de sens. Suis-je normale? Suis-je en train de sombrer dans la dépression? Vais-je survivre au rejet de ma *best*, ou continuer de dépérir jusqu'à ce que mon corps se décompose?

(Avec les trognons de pommes et la pizza!) L'énorme boule qui grandit dans mon ventre finira-t-elle par disparaître? Mon sourire reviendra-t-il un jour? Toutes ces questions sans réponses suffisent à provoquer une nouvelle vague de sanglots. Je suis tellement épuisée de pleurer! Et maman est probablement tannée de m'entendre, parce qu'elle me rejoint presque aussitôt dans ma chambre.

— Émy..., dit-elle d'une voix douce, tout en s'assoyant sur mon lit. Ma belle Émy...

— Laisse-moi tranquille, s'il te plaît, maman.

— Ça fait deux jours, maintenant. Tu dois te ressaisir, ma chouette.

— Je ne veux pas me ressaisir. Je veux Nadeige!

— Justement, tu pourras la voir à l'école demain. Peut-être même que tu auras l'occasion de lui parler et d'arranger les choses. Mais ça ne risque pas d'arriver si tu restes cachée sous les draps.

— Je ne peux pas sortir, mon visage est horrible!

— Pourquoi tu n'irais pas prendre une bonne douche? Je suis sûre que ça te ferait du bien. Ensuite, tu pourrais nous rejoindre pour le souper. Ton corps a besoin de manger autre chose que des bonbons.

Je me contente de grogner un petit coup, incertaine de ce que je dois faire.

— Ne m'oblige pas à te forcer, Émy-Lee, reprend maman d'une voix un peu plus sèche. Noah et Jackson sont très gentils, mais ils commencent à trouver le temps long sans toi. N'oublie pas que tu t'es engagée à t'occuper d'eux pendant leur séjour ici.

Je grommelle une fois de plus. Noah et Jackson... Je suis revenue de l'Alberta avec eux depuis deux jours et je ne leur ai pas parlé une seule fois. C'est que penser à eux me rappelle sans cesse à quel point cet échange étudiant de malheur m'a causé des ennuis. Avoir su, je serais restée sagement à la maison ! Mais non, au lieu de cela (en vraie têtue que je suis !), il a fallu que j'insiste pour partir en Alberta. Et voilà le résultat !

☑ J'ai failli mourir une bonne douzaine de fois (vol en avion, incendie, chute à cheval... Oui, OK, ça fait juste trois, mais ça paraît pire quand on est éloigné de nos parents).

✔ J'ai été OBLIGÉE de surveiller Sasha (et de prendre TOUS les moyens – même les plus horribles – pour que Jordane le laisse tranquille).

✔ J'ai PERDU MA *BEST*!

✔ Et là, je dois faire semblant que tout va bien et m'occuper de mes invités pendant les quatre semaines à venir (alors que mon cœur est ANÉANTI!).

Voyant que je ne réagis toujours pas, maman opte pour un argument-choc.

— Ton père reviendra dans une demi-heure avec Liam…

Oh… Liam… Je fonds… Je me suis trop ennuyée de lui pendant mon voyage! J'ai été (vraiment!) déçue quand j'ai appris qu'il ne m'accueillerait pas à l'aéroport avec les parents. Mais il passait le week-end à son camp adapté, avec ses amis. Il ne pouvait pas rater ça.

Ma mère me connaît bien : elle a le don de trouver les bons mots pour me forcer à bouger. Pour rien au monde je ne voudrais que mon frère m'aperçoive dans cet état. Des plans pour qu'il soit traumatisé jusqu'à la fin de ses jours…

Je repousse ma couverture d'un mouvement sec et passe une main dans mes cheveux pour les replacer. Mais ça ne sert à rien : il y a tant d'électricité statique qu'ils se soulèvent dans tous les sens. Maman grimace en voyant ma tête et pouffe finalement de rire.

— Ce n'est pas drôle ! dis-je d'un air bourru.

— Quand même un peu, oui ! réplique-t-elle sans cesser de sourire. Allez ! Je te laisse te préparer. Et savonne bien, surtout. Tu ne sens pas la rose.

Elle sort de ma chambre tandis que je renifle sous mon bras pour évaluer l'ampleur des dégâts. Ouf ! C'est vrai qu'une petite douche me fera du bien. En me levant de mon lit, je sens mes jambes faiblir, alors je prends appui sur ma table de travail. Torbinouche ! Suis-je déjà en train de perdre le peu de tonus musculaire que j'ai ? Je récupère quelques vêtements propres dans ma commode et me rends à la salle de bain (en étirant le cou pour vérifier que les garçons sont hors de ma vue).

Maman avait raison : me laver me redonne de l'énergie. Je laisse l'eau couler sur ma tête et mon visage pendant que j'essaie de penser à autre chose. Très bientôt, je reverrai enfin Liam ! J'ai tellement hâte de lui faire un câlin !

Au bout de quelques minutes, je sors de la douche et m'habille afin de rejoindre tout le monde dans le salon. Je me sens un peu mieux. Pas beaucoup, là… Mais c'est quand même moins dramatique que tout à l'heure. Les jumeaux sont assis sur le canapé (L'un écoute de La musique, L'autre est en train de texter). Noah remarque ma présence le premier.

— Tiens, une revenante, lâche-t-il sans quitter son téléphone des yeux.

— Salut, Émy, dit Jackson en retirant ses écouteurs. Est-ce que tu vas mieux ?

— Bof. Et vous deux, ça va ?

— Super bien, répond Jackson en souriant. Tes parents sont vraiment gentils : ils m'ont aidé à me familiariser avec les lieux. J'arrive déjà à me déplacer dans la maison sans ma canne.

— Ah, cool.

Ouais… J'avais oublié que la cécité de Jackson pouvait lui causer des difficultés. J'aurais dû l'aider au lieu de m'encabaner comme un ermite.

Pendant que mon ami me raconte tout ce qu'il a fait depuis qu'il est ici (sans cesser de sourire, évidemment !), Noah me détaille de la tête aux pieds, le regard froid. Je crois qu'il n'est pas impressionné par mes qualités d'hôtesse.

En même temps, il n'a pas tort... Une bonne amie les aurait amenés faire un tour dans le quartier. Elle leur aurait peut-être même proposé de boire un chocolat chaud à la pâtisserie de la Troisième Avenue ou d'aller voir un film. (Est-ce qu'il y a des présentations avec description pour les non-voyants à notre cinéma? Aucune idée!)

La conclusion est claire:
JE NE SUIS PAS une bonne amie!
Plus maintenant, en tout cas!

— Les voilà qui arrivent! s'exclame maman, en jetant un œil à la fenêtre du salon.

Mon cœur fait une vrille. Comme je me suis ennuyée de mon petit frère! J'ouvre la porte d'entrée (tant pis pour le froid!) et salue Liam d'un grand geste de la main. Je n'en suis pas certaine, mais je pense qu'un sourire est apparu sur mon visage. Le premier depuis mon retour de l'Alberta...

Papa sort de l'auto et prend Liam dans ses bras pour le transporter jusqu'à l'intérieur. Dès qu'il pose un pied sur le tapis, je m'empresse de le libérer de son fardeau.

— Merci, Émy-Lee, je vais chercher ses affaires dans la voiture.

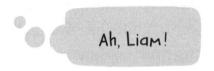

Ah, Liam!

— Je suis si heureuse de te voir, crapule! dis-je en enfouissant mon nez dans son cou pour humer son odeur.

— Moi aussi! répond mon petit frère avec sa façon bien particulière de s'exprimer.

— Hé! Tu as grandi pendant que j'étais partie, toi!

Je le dépose pour lui retirer ses mitaines et descendre la fermeture éclair de son manteau. Puis, je le chatouille pour entendre le merveilleux son de son rire.

Papa revient avec le fauteuil roulant et la valise, et dépose le tout dans l'entrée. Il secoue ses pieds pour enlever la neige de ses bottes et accroche ses vêtements dans la garde-robe. Là, en cet instant précis, alors que ma famille est réunie (et que mes amis nous attendent dans le salon), je me surprends à me sentir un peu (je dis bien: un peu!) mieux.

***

Un peu plus tard en soirée, après qu'on a mangé, que Liam a questionné nos invités sur leur vie en Alberta et qu'il nous a raconté toutes les merveilleuses activités qu'il a faites à son camp, je me retrouve seule en compagnie de Noah, à essuyer la vaisselle. Je vois bien qu'il est préoccupé, mais je n'ose pas l'interroger. Il m'a laissée tranquille, ces deux derniers jours, alors je me dis que je pourrais faire pareil.

Il dépose le poêlon dans l'armoire sous le comptoir et se redresse, les lèvres pincées, l'air sérieux. Après avoir accroché son linge pour le faire sécher, il se décide à me parler.

— Pourquoi tu ne m'as jamais dit que ton frère était handicapé? demande-t-il à voix basse.

Euh… Je fronce les sourcils, étonnée que ce détail ait de l'importance.

— Qu'est-ce que ça aurait changé?

— Ben, rien… C'est juste que j'aurais aimé ça être au courant.

Noah baisse la tête. Je m'assois sur le comptoir, en face de lui (oui! c'est dégoûtant, mais je promets de le nettoyer par la suite), et lui explique ce qui semble si évident à mes yeux.

— Liam ne se définit pas par son handicap, tu sais. C'est un enfant intelligent, drôle, généreux et persévérant.

— Il est en fauteuil roulant...

— Exact. Et il a les cheveux noirs, aussi.

Noah prend le temps de réfléchir quelques instants et ajoute :

— N'empêche que si tu m'avais parlé de tout ça, j'aurais mieux compris.

— Compris quoi ?

— Ben... pourquoi tu es si gentille avec Jackson.

— Mes affinités avec Jackson n'ont rien à voir avec le fait qu'il est aveugle, ou avec la paralysie cérébrale de mon frère, dis-je, étonnée par sa façon d'analyser la situation. Je l'apprécie pour ce qu'il est, c'est tout.

Cette fois, Noah ne répond pas. Je sais qu'il se sent coupable pour l'accident de son frère, mais ça ne change rien au fait que Jackson est un bon gars. Il ne s'agit pas de compassion ni de pitié, ici, mais de réelle amitié (enfin, peut-être pas ces deux derniers jours, mais je promets de me racheter).

Tandis que Noah semble perdu dans ses pensées, je m'empare de mon téléphone, qui a vibré. Sasha vient de m'écrire.

Émy, es-tu là?

Oui! Est-ce que tout va bien?

Non! RIEN ne va! Je suis en train de virer fou!

Sois patient, Sasha. Laissons le temps à Nadeige de se remettre de ses émotions, d'accord? Je suis sûre qu'elle finira par nous pardonner. Par ME pardonner...

Ce n'est pas ça...

Au fait, je sais que je te l'ai déjà dit plusieurs fois, mais je te le répète : je suis désolée de nous avoir causé autant de soucis. C'était la pire connerie de toute ma vie. ☹

Oui, je sais, tu t'es excusée des centaines de fois.

On va y arriver, tous les deux. On va retrouver notre Nadeige d'avant. Ce n'est pas permanent, la teinture à cheveux.

Je… Hein? Mais de quoi tu parles?

Et toi, de quoi tu parles? Je pensais qu'il était question de la photo.

Si tu me laissais le temps d'écrire, je pourrais t'expliquer. C'est JORDANE! Elle est chez moi depuis seulement deux jours et je n'en peux déjà plus! 😫

Oh… Oui, c'est vrai qu'elle est capable d'être intense. Au fait, comment réagit ton père à sa présence?

Tu sais comment il est: «légèrement» contrôlant.

Il s'imagine qu'il y a quelque chose entre Jordane et moi (ce qui n'est pas totalement faux: elle me harcèle carrément pour qu'on sorte ensemble), alors il est toujours en train de vérifier mon emploi du temps et d'observer mes allées et venues.

Je te le dis, c'est l'enfer!

Ouf... Je pense que le retour en classe nous fera du bien, hein?

Tellement!

Tu veux qu'on se voie avant le début des cours demain matin? On pourrait jaser de tout ça.

Tu ne seras pas avec Nad?

Oh... Oublie ça, je n'ai rien dit...

Désolé, c'est l'habitude.

Laisse faire. Ce n'est peut-être pas un super plan, de toute manière.

Je dois m'occuper de Jackson et de Noah.

Non, non, ta suggestion est bonne. L'un n'empêche pas l'autre, en fait. Je peux même t'aider avec les jumeaux si tu veux, ça va me changer les idées. Je vous rejoins aux cases dès que j'arrive, d'accord?

OK. À demain!

J'éteins mon cell et tourne la tête en direction de Noah, qui a tout lu par-dessus mon épaule.

— Tu sais que ce n'est pas beau de lire les conversations des gens? dis-je dans un demi-sourire.

— Tu as vraiment beaucoup de peine pour ton amie Nadeige, hein? demande-t-il sans sourciller.

— Ouais...

— Tu veux que je t'aide à la récupérer?

— Euh... OK. Comment?

— Je suis sûr qu'on trouvera une solution.

Sur ce, il me salue d'un mouvement de la main et disparaît de mon champ de vision. Eh bien...

Nad, Sasha a besoin de toi.

Il vient de m'écrire et, apparemment,
c'est l'enfer avec son père.

Allô?

Tu pourrais au moins prendre deux
secondes pour me répondre.

Ce n'est pas une blague, son
père lui en fait voir de toutes les
couleurs! Et Jordane aussi!

Je te le dis, tu devrais intervenir, si tu
as l'espoir de le récupérer un jour. Je
sais à quel point tu tiens à lui (malgré
ce que tu nous laisses croire). Et je
sais à quel point il tient à toi. ♡

Tu ne vas pas laisser passer la
chance de le retrouver, hein? Vous
êtes faits l'un pour l'autre!

Bon, tant pis...

J'aurai essayé.

Pendant que tu boudes dans ton coin, eh bien, je vais m'en occuper, moi, de ton Sasha. Parce qu'il est mon AMI !

Bye !

3

NADEIGE

Mon plan fonctionne à merveille. Émy est en colère. Par contre, elle ne souffre clairement pas encore assez pour que je mette un point final à ma vengeance. D'ailleurs, elle s'est déjà en partie remise de sa frustration, car elle a recommencé à m'envoyer des textos. Textos qui sont loin de faire mon bonheur, cela dit. Comme si j'avais besoin de savoir qu'elle va passer encore plus de temps avec Sasha. En tout cas…

Le plus gros problème, pour le moment, ce sont mes parents… Eux, ils ne sont pas contents. Et ce n'était pas le but visé. Quand ma mère m'a vue sortir de ma chambre avec mes mèches mauves, elle en a lâché sa tasse de thé. Celle-ci s'est brisée en touchant le sol, et le liquide s'est répandu partout sur le plancher. En plus…

IL A FALLU QUE JE RAMASSE SON DÉGÂT !!!

Franchement… Mais le pire, c'est qu'elle m'a aussi forcée (après avoir mis Noémie à la porte, mais ça, c'était plutôt positif, parce que j'étais vraiment tannée de la voir) à reprendre ma douche. Encore. Et ENCORE ! Son but était que mes mèches partent après quelques shampoings. Sauf que la couleur ne semblait pas vouloir s'effacer.

Pas du tout, même !

Après un énième shampoing, ma mère s'est mise à fouiller dans la poubelle de la salle de bain. Elle a fini par se redresser, avec la boîte de teinture dans les mains, pour me crier :

— C'EST UNE TEINTURE PERMANENTE !!!

— Hein ? Mais non. La gre… je veux dire… Noémie a dit que c'était temporaire. Montre-moi la…

Ma mère m'a tendu la boîte, le visage crispé et la main tremblante. Et là, en grosses lettres, j'ai pu lire le mot « PERMANENT ». J'ai aussitôt relevé la tête, avec un sourire maladroit.

— Euh… je ne savais pas que…

— Mais qu'est-ce qui t'a pris, Nadeige Leblanc ?!

Oh… Elle venait de prononcer mon nom de famille. Ce n'était pas bon signe…

— Qu'est-ce que ton père va dire??? a-t-elle lâché, en tournant les talons et en se tenant la tête à deux mains.

Bon. J'ai alors songé que c'était moins catastrophique que ce que j'avais anticipé. Ma mère ne m'avait pas punie. Du moins, pas encore. Et peut-être qu'elle ne le ferait pas? Après tout, elle savait que je passais un très mauvais moment, avec la trahison de ma BFF…

Non. Ça n'a pas eu l'air de lui faire un pli. Dès que papa est entré dans la maison (il était parti faire des commissions), maman et lui se sont enfermés dans leur chambre, pour en ressortir trente minutes plus tard, le visage grave. Ils m'ont fait asseoir dans le salon, face à eux, et c'est là qu'ils m'ont lancé :

— Cette fois, ça suffit. Il va falloir que tu en reviennes.

— Que j'en revienne?! Émy a fait la PIRE chose qu'une BFF peut faire : elle m'a trahie!!!

Mon père a balayé l'air de la main, comme si ce n'était rien, avant d'ajouter :

— Quand on pardonne à quelqu'un, la personne qui en bénéficie le plus, c'est soi-même.

— Ça veut dire quoi, « bénéficie », de toute façon? ai-je demandé, en me renfonçant dans le sofa.

— C'est à toi que ça va faire du bien, a repris ma mère, en soupirant.

Elle s'est ensuite tournée vers mon père, résolue. Ça ne me disait rien qui vaille, ça... Finalement, ils m'ont regardée de nouveau, avant de déclarer :

— On te donne une semaine.

— Hein ? Quoi ? Une semaine pour... ?

Ils m'ont lancé un regard sans équivoque. J'avais très bien compris de quoi ils parlaient. Mais une part de moi espérait tout de même que je me trompe. Ça ne pouvait pas être ça. Ils ne pouvaient pas m'avoir demandé de... de pardonner à Émy ?! De quoi ils se mêlaient, d'abord ???

Je les ai suivis partout dans la maison pour tenter de les faire changer d'avis, mais rien à faire. Ils étaient inflexibles. Pff... Sept jours seulement pour pardonner à Émy. Comme si j'allais y parvenir !

N'empêche...
C'est amplement suffisant
pour me venger.
Après... après, on verra.

Pour le moment, je dois me concentrer sur la journée à venir. Lundi. Retour en classe. J'ai fait la teinture avec la greluche samedi, et la photo a eu le temps de circuler parmi tous ses contacts. Normalement, personne ne devrait être trop surpris de me voir me pointer avec des mèches mauves au collège.

Celles-ci sont néanmoins cachées sous ma tuque, lorsque j'arrive dans la cour d'école. Delphine n'était pas dans l'autobus. Ça m'a un peu soulagée. Pas que je ne l'apprécie plus, mais… elle ne colle pas avec ma nouvelle image. Je ne peux plus m'asseoir avec elle dans le bus, si je veux montrer à tous que je fais désormais partie de la gang de la greluche.

Car c'est exactement ce que je m'apprête à faire : infiltrer sa table, à la cafétéria, sur l'heure du lunch. Bien résolue à suivre mon plan à la lettre, je me faufile à l'intérieur du collège. Sans perdre de temps, je me rends à mon casier. J'y lance ma tuque, mon manteau et mes bottes, et je me penche pour sortir mes nouveaux souliers de mon sac à dos.

J'ai emprunté ceux de ma mère… Comme ils sont en cuir, je pense bien avoir le droit de les mettre ici. Sauf qu'ils sont à talons hauts. À talons trèèès hauts. D'ailleurs, dès que je me relève, une fois les souliers attachés, je constate avec frustration que je risque d'avoir de la difficulté à marcher.

J'aurais peut-être dû m'entraîner...

Peu importe. Si des filles comme la greluche peuvent en porter quand elles sortent, je ne vois pas pourquoi j'en serais incapable !

Mais pour être certaine de ne pas tomber, j'appuie la main contre le mur à ma droite et avance d'un pas hésitant. Je sens des regards intrigués se poser sur moi. Pour donner le change, je redresse les épaules, en continuant tout de même de regarder où je mets les pieds.

Après une minute seulement, je rencontre un obstacle. Argh ! Un gars se tient devant moi. Je me racle la gorge, pour qu'il se tasse, mais il ne semble pas comprendre le message. Je relève donc les yeux et tombe sur ceux de... Sasha ! Bien sûr...

Il me détaille de bas en haut, avant de me demander, en grimaçant :

— À quoi tu joues, Nadeige ?

— À rien. Tu peux t'éloigner du mur, que je puisse passer ?

— Attends. J'aimerais ça te parler.

Je soupire. Je n'ai pas de temps à perdre avec lui. Pas maintenant. Plus jamais, en fait. Et pour bien le lui montrer, je tente un dépassement par la gauche. Mais comme je n'ai visiblement aucun talent pour marcher avec ce genre de souliers, ma cheville se tord et je manque de tomber par terre.

Je suis sauvée in extremis par une main qui me retient le bras. La main de Sasha, évidemment…

Son visage est tout près du mien (car avec les souliers à talons hauts, je suis presque de sa grandeur) et il me fixe un instant.

Il sent toujours aussi bon.
Et il est toujours aussi beau.
Et je sais que je ne devrais pas dire ça,
car j'ai encore l'image des lèvres de Sasha
sur celles d'Émy… Sauf que j'ai toujours
autant envie de l'embr…

Ah, et puis non! Je me détache de lui d'un mouvement d'épaule. Mais sans son soutien, je finis par réellement basculer et tomber sur le côté. Ma cheville plie drôlement, et je lâche un cri de douleur. De plus en plus frustrée, j'arrache les souliers de mes pieds et les lance au loin.

Un élève me crie de faire un peu attention, mais je ne l'écoute pas. C'est que... je viens d'apercevoir une silhouette familière qui accourt vers moi. Oh non... pas elle! Pas Émy! En plus, elle est suivie de ses gardes du corps, qu'elle a trimballés dans ses valises! À savoir: les deux jumeaux... Sans réfléchir, je lève la main dans sa direction pour la faire stopper, et elle s'arrête aussi sec.

— Nad... ça va, tu n'as rien? me demande-t-elle d'une voix inquiète.

— Depuis quand ça t'intéresse, comment je vais? dis-je sèchement.

— Tu n'es pas juste, là, lâche Sasha. Elle voulait seulement savoir si...

— Je m'en fiche, de ce qu'elle veut. Allez-vous-en, vous tous. Laissez-moi tranquille, un peu!

Émy recule d'un pas, tandis que son menton se met à trembler. Sasha, toujours aussi galant (le sarcasme me tuera, un de ces jours...), passe son bras autour de ses épaules et la serre contre lui.

C'est ça, rajoutez-en une couche!

54

J'ai le cœur qui palpite dans la poitrine tellement je suis en colère. Il faut que je m'éloigne d'eux, et au plus vite ! Je tente donc de me relever, mais ma cheville ne veut pas obéir. Elle me fait trop mal, et je lâche même un second cri en posant le pied par terre.

Évidemment, Sasha est trop occupé à consoler mon ex-BFF pour s'en rendre compte ! Je leur tourne le dos et rampe un peu sur le sol, mais des centaines de bottes y ont laissé des empreintes mouillées.

Quand ça va mal !

En plus, la cloche résonne au-dessus de nos têtes, ce qui fait que la cohue s'installe partout autour de moi. Des jeunes me passent quasiment dessus, tandis que j'essaie d'éviter de me faire piétiner. À peine une dizaine de secondes plus tard, je sens des bras se glisser sous moi pour me soulever dans les airs.

Je me retrouve en moins de deux collée contre Sasha, qui me fait les gros yeux pour que je me taise. Je me retiens de lui dire le fond de ma pensée. À la place, je passe les mains autour de son cou. Pas par plaisir! C'est simplement afin d'éviter que quiconque m'accroche avec son sac à dos. (Juré, c'est la seule raison pour laquelle... peu importe!)

Finalement, la seconde cloche annonçant le début des cours retentit au moment même où Sasha me dépose sur un banc, au secrétariat, en poussant un soupir de soulagement. (OK, je ne suis pas si légère, pas besoin de me le faire sentir!) Son père (ce cher monsieur Lenoir) sort justement de son bureau et s'arrête net en nous apercevant.

— Sasha! Je peux savoir pourquoi tu n'es pas en cours?! Et Nadeige, qu'est-ce qui s'est passé avec tes cheveux??? C'est quoi ces mèches mauves?

— Nadeige s'est blessé la cheville en tombant, explique mon ex. Je pense qu'elle aurait besoin de voir l'infirmière. Et moi... d'un billet de retard.

Le directeur soupire, mais indique à la secrétaire d'appeler l'infirmière, puis de rédiger un papier de retard pour Sasha. Celle-ci nous observe, les yeux ronds, mais finit par obtempérer. Une fois cela fait, monsieur Lenoir revient à moi et m'ordonne:

— Toi, viens dans mon bureau. Je sens qu'on aura pas mal de choses à se dire…

Sasha s'apprête à me reprendre dans ses bras, mais monsieur Lenoir secoue la tête, pour mentionner :

— Non, retourne en classe, tu en as assez fait comme ça ! Je m'occupe d'aider Nadeige.

Son fils finit par s'exécuter, non sans un regard de regret dans ma direction. Il se permet même de me murmurer, avant de partir :

— Faut vraiment qu'on se parle, Nadeige…

Ce à quoi je réponds… rien du tout, en fait. Je l'ignore, en serrant les lèvres. Je n'ai rien à lui dire. Ni maintenant, ni jamais. J'attrape plutôt la main tendue du directeur, puis je m'appuie sur lui pour me rendre jusqu'à son bureau. Il referme la porte et pose les poings sur ses hanches, en marmonnant :

— Ah, Nadeige… mais qu'est-ce qu'on va faire de toi, dis-moi ?

Haussement d'épaules de ma part. Même moi, je ne sais pas trop ce que je vais faire de moi. Alors…

✳✳✳

— Je le savais ! rage ma mère.

Ses jointures sont blanches, à force de serrer le volant. Elle fixe la route devant nous sans me jeter le moindre regard. Mais elle continue tout de même de marmonner. Plus pour elle que pour moi, je crois...

— Comme si j'avais le temps de venir te chercher à l'école, moi! Je travaille, je te ferai remarquer!

— T'avais congé, ce matin...

— Justement! me hurle-t-elle quasiment dessus. Pour une fois que je pouvais dormir!

— Je m'excuse, maman...

— Là, je t'avertis, on s'en va chez le coiffeur pour t'arranger la tête, étant donné que tu n'as pas le droit d'avoir des mèches de couleur, au collège. Ensuite, je ne veux plus jamais te voir faire des expériences du genre sur tes cheveux. C'est compris?!

Je hoche la tête, mais puisqu'elle fixe la route et ne me regarde pas, elle répète:

— COMPRIS???

— OUI! C'EST COMPRIS!

— Change de ton, ma grande! Je suis ta mère!

— Mais c'est toi qui... Désolée. J'ai compris, je te dis.

Ma mère expire tout l'air de ses poumons, comme si elle se dégonflait. Le silence revient dans la voiture. Avec tout ça, je n'ai même pas eu le temps de parler à Noémie pour lui dire ma façon de penser concernant mes mèches « temporaires »… Elle était certainement au courant que je n'aurais pas le droit de circuler avec ça dans le collège !

Subtilement, j'attrape mon cellulaire pour lui écrire. J'efface aussitôt les nouveaux textos envoyés par Émy, et j'appuie sur le numéro de la greluche.

C'était quoi l'idée de me faire une teinture permanente ?

Du calme ! C'étais just une *joke* ! 😂

À cause de ça, je ne peux pas revenir au collège tant que j'ai des mèches de couleur. C'est interdit, au collège !

Oups !

OK, je m'escuse pour vrai. On vas dire que c'étais pour tout les fois ou ta été bitch avec moi.

Mais avoues que Miss-je-sais-tout a du mangé ses bas en te voyant!

Pourquoi tu dis ça?

Come on! Je le sais bien que tu veut être amie avec moi just pour la faire sué.

De quoi tu parles?

Je m'en fiche, *anyway*. Les filles de la gang commence à me tapé sur les nerf. Toi, t'est… t'est drôle.

Pis tsé quoi? Je penses qu'on pourrais vraiment être amie tout les deux.

Pas des *jokes!*

Hum… Peut-être.

On verra.

Et là-dessus, je referme mon téléphone. À la fois parce que nous sommes arrivés devant le salon de coiffure et parce que mes yeux saignent, à lire les fautes que fait la greluche ! Je le range dans ma poche, puis, avec l'aide de ma mère, je sors du véhicule et attrape les béquilles prêtées par l'infirmière du collège.

Moi, amie avec la greluche ?

Il va neiger en Afrique avant que ça arrive !

Et de toute façon, je n'aurai plus jamais d'amie. Point final…

Nad! Est-ce que tu vas bien?

Sasha vient de me dire que tu étais partie en BÉQUILLES!

Je ne pensais pas que c'était si grave, ta cheville. Es-tu allée chez le médecin? Mets de la glace, d'accord? Et repose-toi, surtout.

Nad! Réponds-moi! J'aimerais bien avoir de tes nouvelles avant que les cours reprennent.

Émy, je t'avais avertie.

Ah! Tu es là! Tu m'avais avertie de quoi?

C'est fini. Je te bloque.

Hein?

Ne fais pas l'innocente. Tu le savais. Je t'avais prévenue.

Non ! Nad ! Ne fais pas ça. Tu risques de le regretter. Il paraît que c'est super difficile de débloquer quelqu'un, après ça !

Bon, peut-être pas si difficile, mais quand même !

De toute façon, tu ne survivras pas à ça. Tu vas beaucoup trop t'ennuyer de moi !

Vous ne pouvez pas répondre à cette conversation.

ÉMY-LEE

— Est-ce que ça va, Émy ?

Voilà cinq bonnes minutes que je fixe mon téléphone sans bouger. Rien à faire, il est toujours aussi silencieux. Pas un seul message, pas un seul petit bip… Je n'arrive pas à croire que Nad m'a bloquée, MOI, sa *best* de tous les temps.

Une main se pose sur mon bras tandis que j'essuie la larme qui coule doucement sur ma joue.

— Oui, oui, dis-je sans trop de conviction.

La cafétéria est cacophonique, ce midi. Je ne sais pas ce qu'il y a dans l'air, mais ça rit trop fort, ça crie, ça raconte des blagues (qui sont Loiiiin d'être drôLes !) et ça fait toutes sortes de bruits étranges…

Tout Le monde m'énerve !

Je dépose mon téléphone sur la table (L'écran vers Le haut, juste au cas où Nad reviendrait sur sa décision) et souris faiblement à mes amis. Sasha, Noah et Jackson attendent de voir comment je vais encaisser l'abandon de ma BFF. Vais-je éclater en sanglots ? Me mettre en colère ? Sombrer dans le désespoir ? Pour l'instant, je l'ignore moi-même. Je suis trop sous le choc pour avoir une réaction digne de ce nom. Je me contente de respirer doucement alors que le sang me martèle les tempes comme si je venais de courir un sprint de fou.

Pendant que Sasha et Noah dévorent leur repas, Jackson parle sans arrêt. Je le soupçonne de vouloir me changer les idées, mais aucune anecdote n'est assez savoureuse pour me faire oublier ce qui s'est passé à l'instant.

— Je pensais avoir de la difficulté à circuler dans les corridors, explique-t-il avec un enthousiasme qui me semble exagéré, mais tout le monde est très gentil avec moi. Et tu avais raison, Émy-Lee, c'est quand même simple de se repérer dans ton école. Il suffit de savoir où se trouve la cafétéria, puisque c'est le point central du bâtiment. Et vu l'odeur qui s'en dégage, on ne peut pas vraiment la rater. Après, tout est facile, si on considère que les couloirs sont parallèles à…

— Elle ch'en fiche, intervient Noah, la bouche à moitié pleine.

— Mais non, continue Jackson sans cesser de sourire. Ça la passionne, c'est évident !

Je dois avoir une drôle de tête parce que Sasha et Noah éclatent de rire en même temps.

QUOI ? On n'a plus le droit d'être de mauvais poil ?

— Change d'air, Émy ! lâche Sasha en me poussant légèrement de l'épaule. Je te promets qu'on va la récupérer, notre Nad.

— Ah oui ? Explique-moi comment !

— Ben, je ne sais pas trop encore, mais je suis sûr qu'on trouvera une solution. Elle ne passera pas le reste de l'année avec cette idiote de Noémie, quand même. C'est une horreur, cette fille !

— Je suis au courant, figure-toi ! Si on ne fait rien, Noémie va nous la bousiller dans le temps de le dire !

— Qu'est-ce qu'on peut faire ? demande Jackson.

— Aucune idée, dis-je en jouant dans mon assiette avec ma fourchette. Nad refuse de m'écouter, alors je ne vois pas comment je pourrais l'aider à retrouver la raison.

— On pourrait la bombarder de messages, propose Noah. Si on s'y met à quatre, elle finira bien par réagir.

— Laisse tomber, ça ne fonctionnera pas.

Noah fronce les sourcils devant mon air défaitiste.

— Pourquoi tu dis ça?

— Parce qu'elle m'a bloquée, et qu'elle risque d'en faire autant avec vous si vous insistez trop. Et aussi parce que j'ai déjà vécu ça avec Olivier et Jérémie… Et crois-moi, quand quelqu'un s'acharne, ça crée un effet contraire à celui qu'il recherche.

— Qui sont Olivier et Jérémie? demande Jackson.

— Les ex d'Émy-Lee, annonce Sasha avec un sourire en coin.

Je m'attendais à ce que les garçons me posent mille et une questions, mais ils n'en font rien. Je pars dans mes pensées. J'ai l'impression qu'il s'est écoulé une éternité depuis mon aventure (je devrais plutôt dire: ma mésaventure!) avec ces deux-là. Ils m'ont écrit tellement souvent depuis que j'ai dû leur dire de me laisser tranquille, sans quoi je serais obligée de les bloquer…

Exactement comme Nad vient
de le faire avec moi!

Maintenant, je comprends mieux comment ils peuvent se sentir.

Et c'est l'horreur!

Je leur enverrai peut-être un petit mot
quand toute cette histoire sera réglée… Oui,
c'est une bonne idée. Je m'excuserai et j'es-
saierai de réparer les pots cassés. Je pourrais
peut-être même m'en charger avant, question
que l'ambiance soit moins tendue pendant mes
cours de sciences avec Olivier.

Fière de ma décision, je pige dans ma
salade avec mes doigts avant de porter un morceau de tomate à ma bouche. Au même instant,
quelqu'un me souffle directement dans l'oreille :

— Salut, Émy-Lee.

Je pivote sur mon banc et me retrouve nez
à nez avec nul autre que : Talbot ! Torbinouche !
Ça fait une éternité que je l'ai vu, lui aussi !
Et vous savez quoi ? On dirait qu'il n'est pas
devenu moins bizarre pendant mon absence…
Il s'est accroupi pour se mettre à ma hauteur,
comme si j'avais cinq ans, et il me regarde avec

un immense sourire aux lèvres. Je recule, par réflexe, et lui fais signe de se relever, question de mettre un maximum de distance entre nous. Je l'apprécie, Talbot (pour vrai, il est toujours très sympathique, malgré ses commentaires bizarres), mais je n'ai pas particulièrement envie de discuter avec lui en ce moment. Je reste donc polie, sans démontrer un surplus d'enthousiasme.

— Salut, Talbot. Qu'est-ce que je peux faire pour toi?

— Je suis content de te voir, murmure-t-il en plongeant ses yeux dans les miens. Je me suis ennuyé de toi pendant ton voyage en Alberta.

— Ah, c'est gentil.

— Est-ce que tu t'es bien amusée, à l'autre bout du Canada?

— Oui, oui.

— Tu as ramené de beaux garçons! ajoute-t-il en pointant Jackson et Noah.

Je fronce les sourcils et explique (comme si j'avais besoin de me justifier):

— J'étais hébergée chez eux quand j'étais là-bas.

— Ah, je comprends. Et maintenant, c'est à leur tour de loger chez toi.

— Exactement.

À côté de moi, Sasha retient un fou rire.

— Il est perspicace, marmonne-t-il, juste assez fort pour que je sois la seule à l'entendre.

Je lui donne un coup de coude en lui faisant les gros yeux. Personne ne se moque de Talbot en ma présence. Il a beau être l'élève le plus étrange de cette école, je le considère tout de même comme un copain. Enfin, presque… Disons qu'il ne m'est pas totalement antipathique. Il fait partie d'une « espèce » unique en son genre. Sasha plonge le nez dans son assiette, probablement pour éviter d'en rajouter. De son côté, Talbot est toujours là, planté à côté de moi.

— La pizza est bonne, hein ? demande-t-il à mes amis, comme pour établir un lien avec eux (de façon plutôt maladroite, je dois l'avouer).

— J'ai pris le poulet, répond Noah en désignant son assiette.

— Et moi, la lasagne, ajoute Jackson.

— Ah oui, je vois ça, dit Talbot en se frottant la nuque nerveusement. C'est bien… c'est très bien…

Le moment de silence qui suit se transforme rapidement en malaise. Personne ne comprend pourquoi Talbot reste là. Qu'est-ce qu'il veut, au juste ? Je ne saisis pas où ça s'en va, tout ça. Il semble avoir quelque chose à dire, sans oser se lancer. Jackson décide de briser la glace :

— Je m'appelle Jackson Weber, annonce-t-il en souriant. Et lui, c'est mon frère, Noah.

Talbot étant ce qu'il est, il s'approche de mon ami avec une main tendue pour officialiser les présentations. Évidemment, Jackson ne réagit pas tout de suite. C'est seulement au moment où Noah lui souffle quelques mots à l'oreille qu'il imite le geste de Talbot... de façon un peu décalée, toutefois.

Étonné, Talbot fait un pas vers la droite, serre sa main mollement, et pose son regard sur Jackson. Puis, ses yeux s'illuminent. Il a compris ! Dans une telle situation, tout être humain – à peu près normal – ferait comme si de rien n'était, mais pas Talbot. Ben non !

Il agite les doigts devant le visage de Jackson pour s'assurer que celui-ci ne peut VRAIMENT pas le voir.

Il a quel âge, coudonc ?

Comme mon ami ne bronche pas, Talbot sort la langue et fait une grimace. Cette fois, Noah perd patience et intervient.

— C'est bon ! dit-il en lui agrippant le bras fermement. Arrête ça, tu veux ?

— Ton frère est aveugle ? lâche Talbot, sans aucun tact.

— Oui, et alors ?

— Comment il fait pour aller en classe ?

— Il se lève et il y va ! Il est aveugle, pas paraplégique !

— Et comment il arrive à comprendre le prof ?

— Il écoute !

Torbinouche ! C'est moi ou la conversation est vraiment bizarre ? Talbot continue de parler de Jackson comme s'il n'était pas là, alors que ce dernier se contente de sourire d'un air amusé. Juste à côté, Noah semble sur le point d'exploser.

— Oui, je vois, poursuit Talbot, insistant. Mais c'est compliqué, non ? Il ne peut pas prendre de notes et il ne peut pas lire non plus. Comment il fait pour étudier ? Pour écrire ? Pour saluer les jolies filles qu'il croise dans le corridor ?

Cette fois, Noah en a assez. Il se lève d'un bond, les dents serrées et les poings fermés. Je dois intervenir avant que ça dégénère. Talbot est peut-être spécial, mais il n'est pas méchant.

Je suis certaine qu'il ne voulait blesser personne avec ses questions. Je tire Noah par la manche pour le forcer à se rasseoir. Ensuite, j'explique à Talbot :

— L'école dispose de matériel adapté pour aider les jeunes qui ont des déficiences visuelles. Jackson est habitué à cet équipement, il s'en sort très bien.

Talbot hoche la tête, l'air de réfléchir. Sasha, qui a assisté à toute la scène sans broncher, croise les bras et lui demande :

— Qu'est-ce que tu es venu faire à notre table, au juste ?

— Moi ? Euh… Ah oui, j'avais envie de saluer Émy-Lee.

— Voilà qui est fait. Tu peux y aller, maintenant.

Ouf, c'est un peu direct, ça… Je me sens mal pour Talbot, qui a clairement autre chose à ajouter, mais qui n'ose pas le faire devant tout le monde. Je décide de l'aider un peu, le pauvre :

— C'est très gentil, dis-je en lui souriant. On se voit plus tard dans le cours de maths ? On prendra le temps de discuter si tu veux.

— Oui, mais non…

— Comment ça, non ?

Talbot ferme les yeux. OK. Je ne sais pas ce qui le met dans cet état, mais il est vraiment étrange. Plus étrange que d'habitude, en fait, ce qui n'est pas rien ! Il inspire profondément, ouvre les paupières et plonge son regard dans le mien. Puis, il articule à voix basse :

— Accepterais-tu de m'accompagner à la soirée de la Saint-Valentin ?

Ohhhh...

Torbinouche. Voilà ce qui le tracasse depuis tout à l'heure.

Pendant que Sasha se cache la bouche avec la main pour ne pas éclater de rire (encore !), j'essaie de m'en sortir sans trop de dommages. Je ne veux pas faire de peine à Talbot, mais je n'ai pas trop la tête à la fête en ce moment. J'en ai plein les bras avec tout ce qui m'arrive.

> Tout ce qui m'arrive
> =
> Ma *BEST* qui menace de
> NE PLUS être ma *BEST* !

> Ce n'est pas rien, ça!

— J'ignorais qu'il y avait une soirée organisée pour la Saint-Valentin, dis-je à Talbot.

> Ce qui est vrai!

— Je ne sais pas trop si j'ai le goût d'y aller.

> Ce qui est encore vrai!

— Je risque d'accompagner Jackson et Noah...

> Oups!
> Un petit mensonge, ici.

— C'est pour leur éviter de rester tout seuls, tu comprends?

— Ah... Oui, oui, c'est correct.

Talbot glisse ses mains dans ses poches, visiblement mal à l'aise. J'ai envie de le réconforter, mais je doute que ce soit une bonne idée de lui faire un câlin (il pourrait mal interpréter mes intentions) ou de lui répondre que ce sera pour une prochaine fois (il pourrait me prendre au mot).

Alors qu'il est sur le point de tourner les talons, Jackson lève l'index et nous annonce comme si de rien n'était :

— En fait, j'accompagne Mélodie à la soirée. Elle me l'a proposé, tout à l'heure, après le premier cours.

— Sérieux ? lance Noah, les yeux écarquillés. Cool ! Je suis content pour toi ! Et moi, j'y vais avec Ellie !

— Oh ! Génial ! se réjouit Jackson en plaçant un poing devant lui.

Noah colle ses jointures aux siennes et en même temps, les jumeaux lâchent un « Boum ! » victorieux. Eh bien, on peut dire qu'ils n'ont pas tardé à s'adapter, ces deux-là ! Une demi-journée dans leur nouvelle école et, déjà, les filles leur courent après.

— Tu es donc libre de venir avec moi ? demande Talbot, les yeux remplis d'espoir.

Je tourne mon regard vers Sasha.

À moins que...

Non. Inutile de jeter de l'huile sur le feu. Nadeige ne me le pardonnerait jamais si je devais me pointer à la fête avec Sasha. Même si c'est juste mon ami. Même si c'est juste pour me débarrasser de Talbot.

— Alors? Qu'est-ce que tu en penses? insiste ce dernier.

Ah! Et puis pourquoi pas?

— OK, Talbot. On ira tous les deux.

Ma chère Nadeige,

J'aimerais pouvoir te dire que je vais bien,
mais ce serait te mentir. Il y a un immense
trou dans mon cœur depuis mon retour de
l'Alberta. J'ai honte, Nad. Tellement honte...
Comment ai-je pu te faire tant de peine, à
toi, ma BFF de tous les temps? Mes intentions
étaient bonnes, crois-moi. Je voulais seulement te protéger. Mais c'est raté, je sais...

Notre amitié est forte. Ensemble, on
arrivera à surmonter les tempêtes.
(À la vie, à la mort, tu t'en souviens?)
Nous avons vécu de si beaux moments. Des
joies, des chagrins, des petits bonheurs (et
des plus grands, également), des aventures
rocambolesques, des fous rires, des colères,
des surprises et des déceptions.

Nous avons fait des erreurs, aussi.
Plein d'erreurs.

Jusqu'à présent, nous avons toujours
trouvé la force de nous pardonner,
et j'espère que tu y parviendras
une fois de plus. Une dernière fois...

Parce qu'après, je PROMETS de TOUT faire pour que tu sois la plus heureuse des *best*!

Je t'aime, Nadeige Leblanc! Je t'aime tellement que je me sens incomplète sans toi. Et je sais que c'est pareil de ton côté, même si tu refuses de l'avouer. Alors, prends ton téléphone et écris-moi, d'accord? On pourra effacer cet épisode effroyable de notre vie et poursuivre notre route comme avant.

J'attends de tes nouvelles.

Ta meilleure amie,

Émy-Lee Samson

XXX

5

NADEIGE

Émy a tenté de m'envoyer une lettre, hier. Je l'ai trouvée dans mon casier, ce matin. Elle a profité de mon absence pour l'y glisser. Mais je n'ai pas pris la peine de la lire. Je l'ai balancée dans la poubelle la plus proche. Tant pis pour elle !

Parlant de lettre… je parcours celle que la prof vient de nous distribuer en vitesse, avant de faire claquer ma langue de frustration. Avec tout ce qui m'arrive depuis quelque temps, j'en avais quasiment oublié cette fichue fête.

La Saint-Valentin… Clairement la PIRE INVENTION qui soit !

Non mais, c'est vrai ! Je suis célibataire, moi. Et pour en rajouter une couche, mon ex-chum et mon ancienne meilleure amie se sont embrassés ! EMBRASSÉS ! Je n'ai pas besoin qu'on tourne le fer dans la plaie et qu'on me rappelle à chaque instant que TOUT LE MONDE, autour de moi, est amoureux !

Je m'apprête donc à froisser le papier, quand je reçois une boulette derrière la tête. Je me tourne aussitôt pour rencontrer le regard de la greluche, qui me chuchote de ramasser la boule tombée au sol.

Je m'exécute le plus subtilement possible (autrement dit, pas tellement subtilement) quand la voix de madame Paquette, notre prof de maths, me fait sursauter.

— NADEIGE LEBLANC !

Pourquoi elle me crie dessus, elle ?! Alors que je pivote pour lui faire face de nouveau, elle continue sur sa lancée :

— Viens immédiatement me remettre le papier que ta copine t'a transmis. TOUT DE SUITE !

Je n'ai même pas eu le temps de lire le message ! Mais puisque je n'ai pas trop le choix, je me lève avec nonchalance et dépose la boulette dans la paume ouverte de mon enseignante. Cette dernière serre le poing et enfouit le tout dans sa poche, avant de me mentionner que je devrai rester après le cours pour m'expliquer. Puis, elle me fait signe de retourner m'asseoir. Tout en regagnant ma place, je fais les gros yeux à Noémie, qui affiche un air innocent.

> Pourquoi c'est moi qui suis punie,
> alors que c'est elle qui m'a lancé
> ce message ?! ARGH !

Après cette injustice des plus… des plus injustes (!), je décide de ne plus faire le moindre effort pour écouter durant le reste du cours. Je ne sais pas si c'est à cause de mes problèmes de concentration ou parce que je suis en pleine dépression, mais celui-ci me semble d'une platitude des plus totales.

> Hum… non, ce doit être simplement parce
> que les maths, c'est ennuyant à mort !

Cela dit, je n'exagère pas quand je dis que je suis déprimée. Ce que je vis, c'est pire qu'une peine d'amour ! En fait… c'est exactement la même chose, mais pour une amie. Donc, je suis en pleine peine d'amitié !

Et ça fait tellement mal…

Mais pour ne pas ressentir cette douleur, je me concentre sur ma colère. Ça, au moins, c'est une émotion constructive. Avec la colère, on peut aller loin. On peut agir. Réagir. Et ne pas laisser les autres nous taper sur la tête. Tandis que la souffrance, ça ne sert strictement à rien. À part à nous faire souffrir.

Je ne prends même pas le temps de faire les exercices que la prof nous demande et je garde la tête couchée sur mes bras jusqu'à ce que la cloche retentisse. J'attends que les autres aient fini de ramasser leurs cahiers et de pousser leur chaise avant de faire un mouvement pour me relever. Mais madame Paquette n'est pas du genre à m'oublier. Je n'ai pas le temps de me remettre sur pied qu'elle s'assoit déjà sur mon pupitre, les bras croisés.

— Qu'est-ce qui se passe, Nadeige? Tu n'as pas bien dormi hier?

Je hausse les épaules, pas trop tentée de me confier. Encore moins à ma prof de maths!

— Tu es malade? Tu ne te sens pas bien? reprend-elle.

— Ce n'est pas ça, dis-je, plus pour qu'elle cesse de me poser des questions que pour lui expliquer le vrai problème.

Mais elle ne va pas me laisser m'en sortir comme ça…

— Qu'est-ce qu'il y a, alors? C'est un garçon?

— Ben non! Enfin… pas vraiment.

— Ah, je m'en doutais! C'est toujours la faute des garçons! Ils sont incapables de se tenir convenablement. Dis-moi de qui il s'agit et je m'assurerai que…

— Non! Ce n'est pas un gars. C'est une fille! Ben… c'est compliqué. Et c'est privé! Dites, je peux y aller, maintenant?

— Je vois… Tu sais, Nadeige, que tu sois en amour avec un garçon ou avec une fille, c'est la même chose. L'important, c'est que ton amoureuse te respecte. Si tu sens que ce n'est pas le cas, tu ne dois pas accepter que…

Le reste de son discours devient flou. Je ne l'écoute plus qu'à moitié, parce que je viens de comprendre qu'elle croit que…

JE SUIS AMOUREUSE
D'UNE FILLE!!!

Où est-ce qu'elle a bien pu aller pêcher ça, elle?! C'est n'importe quoi! Oh, il ne faut pas croire que je suis homophobe! Loin de là. C'est juste que je n'aime pas les filles! J'aime les gars. Enfin… pas en ce moment. Présentement, je n'aime personne. Mais c'est un autre sujet.

D'ailleurs, cette conversation devient vraiment trop malaisante. Il est plus que temps que je m'en aille de là! Sans me soucier de ce que madame Paquette est en train de me dire, je la coupe pour lui expliquer :

— Oups, je m'excuse, mais… j'ai justement rendez-vous avec la psy. Je vais devoir y aller…

Ce n'est qu'à moitié vrai. Je n'ai pas rendez-vous maintenant, mais je dois encore la voir une fois par mois, après cette fausse histoire d'anorexie. Ma prof ouvre de grands yeux compréhensifs, puis accepte que je sorte enfin de la classe. Tandis que je quitte les lieux au plus vite, je sens son regard empathique qui pèse sur moi.

Non mais, ça suffit ! Tout ce que je veux, c'est qu'on me fiche la paix. Pas qu'on s'imagine qu'on peut me donner des conseils !

En accélérant le pas, je débouche dans la cafétéria. Des odeurs de nourriture viennent me chatouiller le nez. Le pire, c'est que je n'ai même pas faim. Ce n'est vraiment pas dans mes habitudes. De toute façon, j'ai oublié ma boîte à lunch dans mon casier. J'irai la chercher plus tard. Pour le moment, je dois parler à la greluche.

C'est pourquoi, après avoir pris une grande inspiration, je me dirige d'un bon pas vers la table où elle s'assoit toujours avec ses amies. En chemin, je passe près de celle où est

installée Émy avec ses deux gardes du corps.
Je ne sais pas ce qu'elle fait là. Normalement,
elle ne devrait pas manger à la même heure que
moi. Ah, c'est vrai, une fois par semaine, nous
dînons en même temps.

Je ne m'arrête pas davantage à cette question parce qu'elle ne m'intéresse pas vraiment.
Après tout, je n'en ai plus rien à faire de ce
qu'elle fabrique, avec qui et à quelle heure !

Je continue donc mon chemin jusqu'à ce
que j'arrive à destination. Sans demander la permission, je me laisse tomber à côté de Noémie.
Elle est la seule à ne pas sembler surprise de ma
présence. Ses amies, pour leur part, en perdent
carrément la voix.

Ce qui, je dois l'avouer,
fait bien mon affaire...

En effet, je peux m'adresser à la greluche
sans avoir à couper la parole à qui que ce soit.

— C'était quoi l'idée de m'envoyer cette
boule de papier ? T'aurais pu m'écrire un texto.
À cause de toi, j'ai été obligée de rester après
le cours !

— Calme-toi, Nad, réplique Noémie,
comme si de rien n'était.

Sauf que ce n'est pas le cas. Parce que…

— Ne m'appelle pas comme ça. C'est Nadeige, mon nom. Pas Nad.

La seule personne qui pouvait m'appeler ainsi n'en a plus le droit, désormais.

— Désolée, NA-DEIGE! reprend la greluche en accentuant la fin de mon prénom. La boulette contenait un mot super important!

— Ah… Et il disait quoi, au juste?

— Attends, je te montre! répond-elle, excitée, en arrachant une feuille des mains d'une fille qui se tient juste devant nous. Regarde!

Elle me la passe sous le nez, et je dois la saisir pour lire ce qui y est inscrit. Sans surprise, je constate qu'il s'agit encore une fois de l'annonce de la danse de la Saint-Valentin. Celle-là même que la prof nous a distribuée pendant le cours.

— OK, et…? Tu comptes y aller?

— Évidemment! Toi aussi, d'ailleurs!

Je gonfle mes joues, pas emballée du tout par cette idée. Qu'est-ce que je vais bien pouvoir faire là-bas? D'un autre côté, si je veux montrer à Émy que je suis vraiment passée à autre chose, ça pourrait être une bonne idée. Une idée acceptable, en tout cas.

Ce qui me fait penser… Est-ce que mon ancienne BFF va y aller, elle ? Avec qui ? Je jette un coup d'œil en direction de la table où elle est assise. Dès que nos regards se croisent, Émy baisse les yeux. Comme gênée d'avoir été surprise à m'observer. Je la fixe encore quelques secondes, quand elle relève la tête. Et cette fois, c'est moi qui me détourne.

Je reviens plutôt à Noémie, pour lui dire :

— C'est bon. Je vais venir.

Elle me saute immédiatement dans les bras pour me faire un long câlin désagréable. Il faut dire qu'elle pue le parfum, cette fille, c'est fou ! Il me semble qu'elle pourrait être un peu moins généreuse quand elle s'en asperge le matin.

Je finis par la repousser, mais elle ne s'en offusque pas. À la place, elle saisit ma main pour que je me remette sur pied. Puis, elle salue à peine ses copines et me tire hors de la cafétéria. Nous parcourons en courant le couloir menant au gymnase. En chemin, nous croisons une surveillante qui nous fait les gros yeux, mais Noémie lui lance son sourire le plus innocent.

Cette fille est douée…

La preuve, la dame se décrispe et nous laisse passer sans nous menacer de la moindre retenue. Wow. Si j'avais été seule, je suis quasiment sûre que j'aurais eu droit à un long monologue sur l'importance de respecter les règles et blablabla.

SANS. INTÉRÊT.

Finalement, nous arrivons face à la porte du gym. La greluche s'arrête, essoufflée, tout en me pointant la petite fenêtre carrée sur la porte. Sans trop savoir ce qu'elle veut que je regarde, je m'approche de la fenêtre et observe ce qui se passe à l'intérieur du gymnase. Tout ce que je vois, c'est une vingtaine de jeunes qui jouent au basket. Rien de bien excitant.

Mais après avoir repris son souffle, Noémie me bouscule pour regarder à son tour dans le local. Et aussitôt, elle lâche un cri, en m'empoignant le bras pour me coller à elle.

— Oh! Il est là! Tu vois, ce gars???

— Euh… lequel? Il n'y a que ça, des gars, dans le gym…

— Celui avec des gros bras, là-bas!

— Hum… avec le chandail bleu?

— Non mais, tu le fais exprès ou quoi?!
CELUI AVEC DES SHORTS ROUGES!

Je cherche celui qu'elle vient de me décrire dans le local, mais je ne parviens à voir qu'une tache rouge qui se déplace rapidement. Ce qu'il y a, c'est que… je n'en ai pas parlé à qui que ce soit, mais… je pense que ma vue n'est plus aussi bonne qu'avant. Ce n'est pas la fin du monde non plus. Surtout qu'il est hors de question que je commence à porter des lunettes! J'aurais l'air d'une *nerd*, alors que je suis loin d'en être une!

Non, je préfère garder ça pour moi. C'est pourquoi je marmonne, en signe d'assentiment:

— Mouais… et alors?

— Comment ça, « et alors » ? Antony, c'est genre LE PLUS BEAU GARS DU MONDE!!! Et c'est avec lui que je compte me rendre à la danse de la Saint-Valentin.

— Ah… et pourquoi tu tenais tant à me communiquer cette info?

— Parce que je vais avoir besoin de toi…

Un frisson me parcourt alors. Je suis quasiment certaine qu'elle est sur le point de me demander un truc particulièrement tordu. Un truc auquel je ne pourrai dire non… Comme je la regarde, elle me pointe une fois de plus un gars dans le gymnase, avant d'indiquer:

— Son meilleur ami, c'est lui. Je le sais qu'il n'est pas super beau, mais… si tu t'arranges pour qu'il t'invite à la danse, Antony me remarquera enfin et on ira tous les quatre ensemble ! Avoue que ce serait génial !

Je grimace devant la stupidité de son plan. Je ne vois pas pourquoi le fait que j'aille à la danse avec son meilleur ami inciterait Antony à soudainement s'intéresser à la greluche. Visiblement, elle n'a pas réfléchi longtemps à la chose. Mais ça ne devrait pas m'étonner. Noémie n'est pas reconnue pour son intelligence hors du commun.

Comme je me fiche bien de son histoire, je finis par hausser les épaules. La greluche prend ça pour un oui. Avant qu'on ait pu rebrousser chemin, la porte du local s'ouvre d'un coup sec, dévoilant le visage d'un grand gars assez costaud. Un gars avec des shorts rouges. Puisque Noémie est la plus proche de la porte, elle trébuche vers l'arrière, ce qui fait que je reste seule devant le nouveau venu. Ce dernier baisse la tête pour m'observer, avant de sourire lentement.

— Tu nous espionnais ?

— Hein ? Non. J'ai autre chose à faire que de vous regarder lancer un ballon dans un panier. Franchement !

— Alors, qu'est-ce que tu fais là? me demande-t-il, toujours sans se rendre compte de la présence de Noémie.

— Je… je me suis perdue. Ouin. Je… je ne viens pas trop souvent par ici.

Il hausse un sourcil, sans cesser de sourire. Finalement, il secoue la tête, avant de reprendre :

— Tu t'appelles comment ?

— Nadeige. Mais ce n'est pas…

— Moi, c'est Antony.

— Je sais, sauf que…

— Ah, tu le sais déjà ? Écoute, si je t'intéresse, tu n'as qu'à me donner ton numéro. On s'appellera…

Je m'apprête à lui dire qu'il n'est pas du tout mon genre, mais Noémie, qui a repris contenance, me fait signe d'accepter. Je soupire, puis j'attrape mon cellulaire pour noter le numéro de monsieur «Égo». Au lieu de me le dicter, celui-ci saisit mon téléphone et l'inscrit lui-même. Il prend même la peine de se texter pour s'assurer d'avoir mes coordonnées. Lorsqu'il me redonne mon cellulaire, je manque de partir à rire en voyant qu'il s'est surnommé «Beau gars».

Ridicule.

Puis, il me promet de m'appeler, avant de tourner les talons et de partir en direction du vestiaire. Il évite de justesse Noémie, qu'il remarque à la dernière minute et qui se plaque contre le mur pour le laisser passer, un regard amoureux sur le visage. Lorsqu'il disparaît de notre champ de vision, la greluche s'empare à son tour de mon cellulaire, pour y lire le numéro de l'homme de sa vie. Elle me fait ensuite promettre de le lui envoyer, avant de se mettre à se pâmer devant la beauté et le charisme d'Antony.

Tout en écoutant ses gémissements de plaisir, je reprends mon téléphone, qui vibre dans ma main. Subtilement, j'y jette un coup d'œil, pour découvrir un texto de « Beau gars ».

Tu me plais, toi. Tu sais ce que tu veux.

Ça me fait penser...

Tu vas à la danse avec quelqu'un ?

Argh ! Comme si j'avais besoin de ça.

Émy, c'est moi.

C'est Nad, je veux dire.

Ben... j'imagine que tu m'as reconnue.
Pas besoin de me présenter.

En tout cas. Je te débloque
parce que je dois te parler.

Bref, mes parents veulent
absolument que je te pardonne.

Ils disent que je dois passer
à autre chose. Donc, ben...

Voilà, tout est pardonné.

✳✳✳

Maintenant que c'est fait et que mes
parents sont sortis de ma chambre,
sache que je ne le pensais pas du
tout. Je ne te pardonne pas. Ni
aujourd'hui, ni jamais ! Point final !!

Et je te rebloque ! (Il faut juste que je trouve comment faire. C'était déjà assez compliqué la première fois…)

6

ÉMY-LEE

Je regrette déjà.

Sérieusement, je ne sais pas ce qui m'est passé par la tête quand j'ai accepté la proposition de Talbot. Mon jugement a disparu en même temps que ma bonne humeur ou quoi? Maintenant que le mal est fait, je n'ai plus vraiment le choix: je dois aller à la fête de la Saint-Valentin avec lui. YÉ.

Je me doutais que sa réaction serait intense (on parle de Talbot, il ne faut pas l'oublier), mais j'étais loin de m'imaginer qu'elle le serait AUTANT! Il ne me lâche pas d'une semelle depuis hier.

☑ Il m'écrit plusieurs fois par jour pour s'assurer que je vais bien, que je garde le moral (à cause de ce qui arrive avec Nad) et que je n'ai pas changé d'idée (ce qui ne saurait tarder s'il ne se calme pas bientôt !).

✔ IL m'attend à la sortie de chacun de mes cours pour m'accompagner au local suivant comme un chevalier servant (quitte à arriver en retard à ses propres cours; un brin exagéré!).

✔ IL porte mes livres (j'ai deux bras et deux mains, pourtant!), il me laisse passer dans la file de la cafétéria (je suis capable d'attendre comme tout le monde!), et il s'interpose si quelqu'un m'approche de trop près (et dès qu'Olivier est dans les parages!).

Et ça, CE N'EST RIEN, en comparaison avec ce qu'il a fait hier soir! Attachez bien votre tuque, c'est du solide!

✔ IL a débarqué à la maison pour rencontrer mes parents!

Sans blague! Il a tenu à se présenter officiellement et à leur demander la permission d'être mon cavalier à la fête de la Saint-Valentin. Allô?! Quelqu'un pourrait lui dire qu'on n'est plus dans les années cinquante? Un peu plus et il m'offrait un corsage de fleurs à accrocher à ma robe. Ah, mais non! Attendez... C'est EXACTEMENT ce qu'il a fait! Il m'a tendu un petit paquet et m'a priée de l'ouvrir, l'air particulièrement fier. Quand j'ai compris de quoi il s'agissait, j'ai laissé tomber le corsage dans le fond de la boîte, trop sous le choc pour le remercier. Je ne sais pas c'est quel genre de soirée, la fête de la Saint-Valentin, mais je doute qu'il soit question d'un grand bal avec des robes de dentelle et des complets à cravate.

Tandis que j'étais bouche bée, mes parents, eux, étaient conquis.

— Enfin un jeune homme qui fait preuve de savoir-vivre! s'est exclamé mon père, ravi de cette belle attention. Je t'aime bien, toi. Tu veux rester manger avec nous, mon garçon?

C'est à ce moment que j'ai entendu Jackson et Noah étouffer un fou rire, alors qu'ils étaient dans la cuisine, le nez dans leurs devoirs.

— Je vous remercie, monsieur Samson, a répondu Talbot d'un ton poli. Ma mère m'attend dans la voiture, je dois y aller.

— Ah, c'est dommage, a ajouté maman. Une autre fois, peut-être?

— Oui, pourquoi pas?

Talbot m'a saluée d'un mouvement de la main, les joues rouges. Puis, il a fait demi-tour pendant que mes parents refermaient la porte derrière lui. J'ai levé un doigt dans leur direction pour les empêcher d'émettre le moindre son. Je n'avais pas envie d'écouter leurs commentaires. Heureusement, ils se sont contentés de me sourire et de disparaître dans le salon.

J'ai agrippé mon sac à dos et je me suis précipitée dans la cuisine pour rejoindre Jackson et Noah. Ils se sont moqués de moi gentiment (ce n'était pas bien méchant, mais je leur ai quand même offert à chacun une petite claque derrière la tête) et on s'est mis au travail.

Maintenant que mes devoirs sont terminés, je peux me pencher sur le sujet qui occupe toutes mes pensées : récupérer Nadeige ! Ah… ma Nad… Quand réalisera-t-elle que notre amitié est plus forte que nos petits malentendus ? Je comprends sa peine. Je comprends sa colère également. Mais il faut en revenir, à un moment donné ! Et ce n'est pas en m'écrivant de faux messages de pardon qu'elle va me décourager. Je vais continuer de tout faire pour que notre relation redevienne celle qu'elle a toujours été. J'ai fini de pleurer et de me lamenter sur mon sort ! J'agis, désormais ! Et je suis prête à accepter toute l'aide qu'on peut m'offrir.

— Pour un gars qui me proposait un coup de main avec Nad, dis-je à Noah, je te trouve pas mal discret. Je croyais que tu serais un peu plus proactif.

— Justement, j'ai pensé à ça, répond-il en déposant son crayon. Mon avis, c'est que tu devrais profiter de la Saint-Valentin pour attirer son attention.

— La Saint-Valentin? Je ne comprends pas le lien…

— C'est l'occasion parfaite pour lui envoyer des messages.

— Attends, tu veux dire des mots d'amour? Voyons, Noah, Nad est mon amie, pas ma blonde! Je ne vais pas lui demander d'être ma Valentine.

— Le 14 février, c'est aussi la fête de l'amitié, lâche Jackson, assis juste à ma droite. C'est un geste qui pourrait la toucher.

— Nadeige? Touchée? Hum… Permettez-moi d'en douter.

Ça paraît qu'ils ne la connaissent pas. Ma *best* n'est pas du genre à s'émouvoir devant un bouquet de fleurs, un poème ou une chanson à l'eau de rose. C'est moi, la sentimentale, dans notre duo, pas elle.

— En tout cas, ça vaut quand même la peine d'essayer, insiste Noah. Ce n'est pas comme si tu avais des tas d'autres options, de toute façon.

Là, il marque un point. Nad m'a bloquée de ses contacts, alors il n'y a plus moyen de la texter. Elle refuse de répondre au téléphone quand j'appelle chez elle, et elle change de direction dès qu'elle m'aperçoit dans un corridor de l'école. Sans oublier le fait qu'elle n'a pas donné suite à ma lettre. Les messages sont peut-être la solution. Je n'arriverai sûrement pas à la toucher avec des valentins en forme de cœur, mais elle verra au moins que je fais des efforts. Je suis prête à m'investir dans la reconstruction de notre relation!

Pendant que je prends le temps de réfléchir à tout cela, le téléphone de Noah se met à sonner. Il pose les yeux sur son écran et fronce les sourcils. Curieuse, je murmure:

— Qu'est-ce qu'il y a?

— C'est un appel FaceTime qui provient de l'Alberta.

— Et alors?

— Je ne connais pas le numéro. Je me demande si je dois répondre.

— Mais oui! lance Jackson, un sourire au coin des lèvres. C'est peut-être papa et maman.

— Hein? Tu crois?

Les jumeaux habitent sur un ranch (sans service Internet!). Leurs parents sont tellement déconnectés de la réalité qu'ils ne savent même pas utiliser un cellulaire. Ça a tout pris pour qu'ils acceptent d'acheter un téléphone usagé à leurs fils en prévision de l'échange (un vieux modèle complètement dépassé, les pauvres!). C'est donc avec une immense surprise que Noah décroche et comprend qu'il s'agit BEL ET BIEN d'eux au bout du fil!

— Papa? demande-t-il, sur le point de tomber en bas de sa chaise.

— ALLÔ? fait la voix exagérément forte d'Owen. Vous êtes là, les garçons?

— Mais oui, papa! répond Noah. Pas besoin de crier, on t'entend bien. Regarde l'écran, tu peux aussi nous voir.

J'étire le cou et j'aperçois monsieur et madame Weber, qui nous font coucou, ainsi qu'Éli, le jeune frère des jumeaux (que j'adore!).

— Ah, ben oui! Tu parles si c'est merveilleux! Vous avez l'air en forme, mes fistons.

— Bien sûr, le rassure Jackson. Où êtes-vous? Il y a de drôles de bruits autour de vous.

— On est au Café du Coin. Henry m'a prêté son téléphone pour vous appeler. Il est sympathique, hein?

— Oui, c'est super!

— Ze veux voir Émy-Lee! fait la petite voix d'Éli.

Noah tourne son appareil dans ma direction, me donnant ainsi l'occasion de saluer le reste de la famille.

— Allô, Éli! Bonjour, Owen, bonjour, Maria.

— Ze m'ennuie de toi, Émy-Lee! Quand est-ce que tu reviens à la maison?

— Hé! C'est gentil pour nous! lâche Noah, faussement insulté. Tu n'as pas hâte qu'on rentre, nous?

Pendant que les frères profitent de l'occasion pour se taquiner, j'aperçois le visage inquiet de Maria. Dès qu'elle a un moment pour placer une phrase, elle me dit, visiblement préoccupée:

— Tu n'as pas l'air en forme, ma princesse. Est-ce que tout va bien?

— Oui, oui… Je suis juste un peu fatiguée.

Les mères sont toutes les mêmes ou quoi? On ne peut rien leur cacher! Pour détourner l'attention, je propose à papa et à maman de venir faire la connaissance des Weber, ce qu'ils acceptent avec joie. Les parents passent donc les minutes suivantes à discuter de leur sujet de prédilection: les enfants! J'entends Maria me complimenter à propos de mon attitude exemplaire pendant mon séjour chez eux, et j'écoute ma mère vanter la gentillesse et les bonnes manières des garçons. Peu à peu, Liam et Éli surmontent leur timidité et entament une conversation au sujet de leurs dinosaures préférés, ce qui fait rire tout le monde. On ne se voit pas beaucoup parce qu'on est plusieurs à se disputer une parcelle d'écran, mais la rencontre est sympathique et permet de créer un lien entre nos deux familles.

— On doit y aller, d'accord ? dit monsieur Weber au bout d'un moment. Je ne voudrais pas faire grimper votre facture de téléphone. Ça coûte cher, les interurbains.

— Ce n'est pas un interurbain, papa, le corrige Jackson en souriant. C'est un appel FaceTime.

— Ah oui, je vois… Mais quand même ! Il faut le payer, le Bluetooth, hein ?

Noah et moi nous regardons d'un air découragé avant d'éclater de rire. Est-ce qu'on a vraiment envie de se lancer dans une explication à distance sur les différences entre le WiFi, la connexion Bluetooth, un appel FaceTime et une ligne résidentielle ? Vraiment pas ! Je dis donc au revoir à Owen, Éli et Maria, et me retire pour laisser les garçons terminer leur appel.

Je suis contente d'avoir revu la famille Weber. Cet instant de simili-bonheur m'a fait du bien… le peu de temps qu'il a duré. Maintenant que je reprends contact avec la réalité (et que Nad occupe de nouveau toutes mes pensées), ma douleur revient me frapper de plein fouet. Je me suis juré d'agir, alors c'est parti !

C'est ce que je vais faire !
LÀ ! MAINTENANT !

Je range mes cahiers et me précipite dans ma chambre. Puis, comme si ma vie en dépendait (ce qui est proche de la vérité !), je commence à fouiller sur Internet à la recherche d'idées. Les garçons ont raison, je dois montrer à Nad à quel point je l'aime. Et la Saint-Valentin est le moment parfait, puisque le Web regorge de trucs et d'astuces pour déclarer notre amour en cette période de l'année. En veux-tu des suggestions, en voilà !

Bon, OK, ce ne sont pas toutes des options envisageables (hors de question que je lui prépare un bain parfumé aux pétales de roses ou que je la surprenne avec un souper aux chandelles), mais il y a tout de même quelques propositions intéressantes. La première que je retiens est la suivante :

« Fabriquez un bouquet de fleurs personnalisées à l'aide de papier plié ! »

À première vue, ça peut sembler spécial, mais en réalité, ce n'est pas fou… Les fleurs achetées en magasin présentent plusieurs désavantages :

- ✓ Elles se fanent au bout de quelques jours.

- ✓ Elles ne sentent pas si bon que ça (certaines sentent même très mauvais !).

- ✓ Elles peuvent contenir toutes sortes d'insectes dégoûtants (comme des vers et des puces… ouache !).

- ✓ Elles font du dégât (les pétales qui tombent, les feuilles qui s'effritent…).

- ✓ Il faut les tailler et les arroser (perte de temps !).

- ✓ Sans oublier qu'elles coûtent vraiment cher.

Bon, je sais, ce n'est pas si catastrophique, tout ça. Mais les fleurs bricolées peuvent être vraiment cool :

✔ ELLes ne coûtent presque rien (du papier, tout Le monde a ça dans Le fond d'un tiroir).

✔ ELLes sont uniques.

✔ ELLes prouvent que vous êtes prêt à investir du temps pour faire plaisir à La personne que vous aimez.

Du temps... Ouais, j'ai peut-être sous-estimé cet aspect...

Je commence par visionner une dizaine de tutoriels (qui aurait cru qu'iL en existait autant ?). La plupart sont clairement trop bébés (je n'ai pas trois ans, quand même !), alors que d'autres relèvent carrément de l'exploit (je veux bien me forcer, mais j'aimerais réussir un bouquet sans devoir obtenir au préaLabLe un diplôme universitaire en pLiage de papier !). Finalement, je mets la main sur une vidéo bien montée qui propose un arrangement de fleurs magnifiques et relativement faciles à faire. Pour y arriver, j'ai seulement besoin de carrés aux motifs multicolores, de colle, de fil de fer, de pierres décoratives, de ruban adhésif vert et de mousse.

En fouillant dans les articles de bricolage de Liam, je trouve… de la colle et du carton. C'est tout. Torbinouche! C'est vrai que mon frère n'est pas un adepte des activités manuelles (avec son handicap, ça se comprend), mais je pensais dénicher plus intéressant.

Bon ben, je n'ai pas vraiment le choix : j'irai faire un tour à la boutique d'artisanat avant de me lancer dans cette merveilleuse aventure florale. Demain après l'école, sans faute.

En attendant, je me rabats sur une option plus accessible : les valentins. Pour ça, je suis une pro! J'en ai tellement fabriqué, ces dernières années, que ces petits messages n'ont plus de secret pour moi. J'en crée de toutes les couleurs et de toutes les grosseurs. Certains avec des brillants, d'autres avec des autocollants. Et je m'applique à écrire les plus beaux textes possible afin que Nadeige comprenne à quel point elle est spéciale à mes yeux. Demain, quand les « anges » feront la distribution du courrier du cœur, mon amie sera littéralement bombardée d'amour.

Quand j'éteins la lumière de ma chambre (un peu avant minuit), je suis épuisée, mais fière de moi! J'ai vraiment hâte à demain!

Ma vie est plus belle avec toi!
♡ ♡ ♡
Merci d'être mon amie!

Tu es une personne extraordinaire!

Je n'arrêterai **jamais** de t'aimer, ma Nad.

Je m'ennuie de toi.

Je n'ai peut-être pas toujours les bons mots pour t'exprimer ce que je ressens, mais j'ai confiance en nous. On parviendra à surmonter cette épreuve.

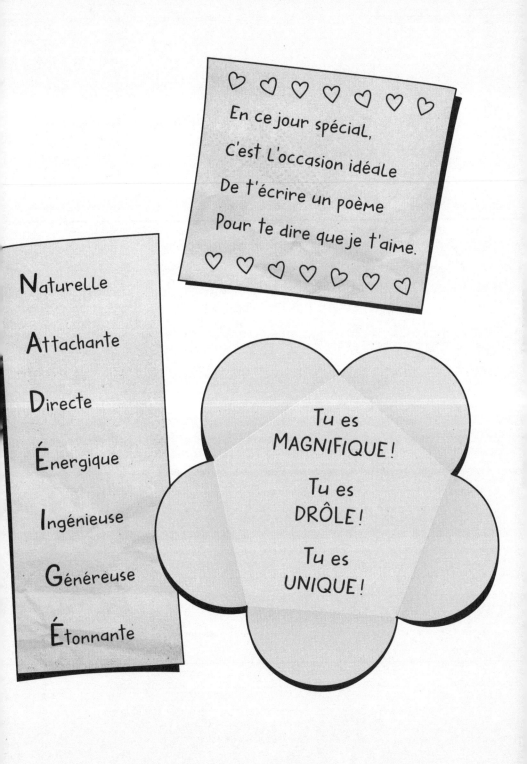

En ce jour spécial,
C'est l'occasion idéale
De t'écrire un poème
Pour te dire que je t'aime.

Naturelle

Attachante

Directe

Énergique

Ingénieuse

Généreuse

Étonnante

Tu es
MAGNIFIQUE!

Tu es
DRÔLE!

Tu es
UNIQUE!

NADEIGE

Sitôt reçus, sitôt lancés dans la corbeille! Non mais, sérieux, comme si j'allais m'extasier devant les bricolages d'Émy dignes d'un enfant de cinq ans! On n'est plus au primaire, que je sache! Ce n'est pas en me dessinant des petits cœurs qu'elle va obtenir mon pardon. Et cela, même si elle s'est appliquée!

Dans ma chambre, assise sur ma chaise de bureau, je la fais tourner. Et tourner. Dès que je me retrouve face à la poubelle, je ne peux m'empêcher de la fixer. Les valentins en papier en dépassent. Je tourne encore. Des larmes ont envahi mes yeux. Je continue de tourner.

> Pour ne pas m'avouer que
> je m'ennuie de ma *best*...

Finalement, je m'arrête d'un coup lorsque j'entends ma mère m'appeler du salon.

— Nadeeeeige! Tu as de la visite.

Vite, je m'essuie les yeux. Non mais, c'est quoi l'idée de mettre du mascara, aussi! Ça me fait des yeux de raton laveur, maintenant! Je rage en frottant les cernes qui viennent d'apparaître sur mon visage, à cause du maquillage, mais je ne parviens à rien. J'aurais dû acheter du démaquillant, comme me l'a suggéré la greluche, l'autre jour. Mais ça commençait à faire beaucoup d'argent dépensé, alors je me suis dit qu'avec un peu de savon, je pourrais me nettoyer le visage sans problème.

Sauf que… du mascara, ça ne s'enlève pas si facilement. Depuis une semaine, je me balade avec la face barbouillée de restant de maquillage. Et c'est affreux! Je n'ai pas le temps de terminer mon nettoyage express que la porte s'ouvre dans mon dos. Je lève la tête et croise le regard de Noémie dans mon miroir.

Intérieurement, je soupire, mais je me garde bien de le montrer. Qu'est-ce qu'elle fait encore ici, elle?

Comme je ne peux quand même pas la mettre à la porte sans explication, je pivote et lui fais signe d'entrer. Ma mère, demeurée sur le seuil, a les sourcils froncés et les lèvres pincées. Je hoche la tête, pour lui signifier de ne pas s'en faire. Noémie n'est pas là pour me faire une autre teinture. J'ai appris ma leçon!

Satisfaite de ma réaction, maman s'assure de laisser la porte grande ouverte, mais je me dépêche de la refermer en me levant rapidement. Puis, j'observe la greluche, qui a pris ses aises sur mon lit. Elle est appuyée contre mes coussins, le nez planté dans son cellulaire, comme si je n'étais même pas là. Ne désirant pas étirer le moment plus qu'il ne le faut, je lui demande :

— Alors… tu fais quoi, ici ?

Elle lève le visage vers moi, en faisant papilloter ses paupières. Ça marche vraiment, ce truc ? Moi, je trouve juste qu'elle a l'air d'une idiote…

— On est vendredi soir, je te ferai remarquer ! me lance-t-elle enfin, avant de retourner à son téléphone.

Petit silence. OK… Et ?

— Ouais, je sais…

— Ben là, Nad !

— Ne m'appelle pas comme…

— Scuse, Na-deiiiige ! lâche-t-elle, toujours sur le même ton méprisant.

Je n'y fais pas attention et me rassois sur ma chaise. Pas le goût d'être près d'elle en allant prendre place sur mon lit…

— Le vendredi, on ne peut pas rester à la maison sans rien faire, continue-t-elle. On doit sortir !

— Et tes parents, ils en disent quoi ?

— On s'en fiche ! On a quinze ans, je te rappelle !

Je veux bien, mais je doute que ma mère me laisse faire sans me poser mille et une questions. Pas qu'elle soit contrôlante. Seulement, elle n'apprécie pas Noémie plus qu'il le faut.

Si elle savait :
elle n'est pas la seule...

— Tu comptais faire quoi, au juste ? dis-je, plus pour entretenir la conversation que par réel intérêt.

— Ça va dépendre... Regarde !

Et elle tourne son cellulaire vers moi. Le hic, c'est que l'écran est trop petit pour que je puisse lire ce qui y est écrit. Pas le choix, j'étire le bras et saisis son téléphone pour le rapprocher de mon visage. Là, je constate qu'elle est en plein échange de textos avec... Antony !

Celui qui ne cesse de m'écrire depuis deux jours ! Je suis passée à deux doigts de le bloquer, comme pour Émy, mais... Je ne sais pas pourquoi je ne l'ai pas encore fait, d'ailleurs. Visiblement, c'est le genre de gars qui chasse plusieurs lièvres à la fois, si j'en juge par les messages qu'il a échangés avec Noémie. Pas que ça me dérange! Au contraire, j'aimerais bien qu'il me lâche un peu, justement. Et s'il pouvait sortir avec elle, ça ferait mon affaire.

— Lui et ses amis s'en vont au parc, ce soir.

— Ah…

Elle lève les yeux au ciel, pour que je comprenne à quel point elle me trouve plate. Mais comme ça ne semble pas avoir d'effet sur moi, elle soupire, puis reprend :

— Nous aussi !

— Nous aussi quoi ?

— Nous aussi, on y va ! *Come on*, Nad… eige ! termine-t-elle, alors que je lui fais les gros yeux. Ça va être cool. Il y aura plein de gars. Si tu ne veux pas te rendre à la danse avec celui que je t'ai choisi, tu n'as qu'à en prendre un autre.

— En prendre un autre ? Ce n'est pas d'un chien dont on parle ! C'est d'un gars !

— Tu es bien grognonne, ce soir ! se renfrogne Noémie, en revenant à son téléphone pour se remettre à écrire. Pas le choix, de toute façon. Tu viens avec moi. Je ne peux pas y aller toute seule. J'aurais l'air de quoi ?!

— Pourquoi tu n'invites pas tes amies, aussi? Je suis certaine qu'elles se feraient un plaisir de te suivre partout...

— Peut-être, mais c'est toi la plus jolie. Je suis tannée de me tenir avec des filles qui ne savent pas s'arranger, lâche-t-elle, sans me regarder.

Je la fixe durant de longues secondes, attendant qu'elle me dise la vérité. Parce que ses amies, elles sont super belles. C'est n'importe quoi, cette excuse. Au bout d'une minute, elle finit par lever les yeux vers moi et par faire claquer sa langue, avant d'avouer:

— OK, OK. Si tu veux tout savoir, Olivia m'énerve parce qu'elle tripe toujours sur le même genre de gars que moi. Et Jade est un peu nunuche. Elle lance des trucs stupides qui me font un peu honte. Pis Sandy n'a pas le droit de sortir le vendredi. Donc, il ne me reste que toi. Mais c'est vrai, ce que je disais, par contre... tu es super belle. Depuis que tu t'arranges, en tout cas...

Je ne prends pas la peine de m'offusquer de ses propos. Ils me paraissent tellement futiles. Noémie se redresse et me fait des yeux de petit chat, mais je détourne la tête. Ça ne me tente vraiment pas de passer la soirée avec elle et des gars que je ne connais pas. Je préférerais mille fois être avec… avec Émy.

Mais ça, c'est impossible...

C'est alors que le regard de la greluche suit le mien et tombe sur ma corbeille. Aussitôt, elle lâche une exclamation de dégoût, en sautant sur ses pieds pour vérifier de quoi il s'agit. La voilà qui empoigne les valentins en papier et les secoue dans tous les sens, en rigolant.

Je n'aime pas ça.

Un des valentins se détache du paquet et tombe par terre. Sans hésiter, Noémie pose le pied dessus, toujours en riant.

Je. N'aime. Pas. Ça.

— Qui t'a envoyé ça ?! s'exclame-t-elle, en cherchant un mot accompagnant le tout.

Et avant que j'aie le temps de réagir, elle attrape la carte d'Émy, puis commence sa lecture du poème qu'elle contient.

JE N'AIME PAS ÇA !

C'est pourquoi je saute carrément sur elle pour lui arracher la carte des mains.

— Hé! C'est quoi ton problème?! s'écrie-t-elle.

Je réplique aussitôt, le souffle court:

— Ne fouille pas dans mes affaires!

— Tes affaires? Tu ranges tes affaires dans les poubelles, maintenant? Pis c'est quoi, ce poème ridicule? Émy est vraiment rendue bas, pour écrire des trucs pareils! Coudonc, est-ce qu'elle est en amour avec toi ou quoi?!

Je me mords les lèvres pour lui rétorquer qu'Émy n'est pas rendue bas du tout. Malgré ma colère envers mon ancienne BFF, je ne tolère pas qu'on parle contre elle. Un restant de solidarité, j'imagine…

Je tourne le dos à Noémie pour ranger les valentins dans ma commode. Loin de ses mains et de ses yeux. Une fois cela fait, je me sens déjà un peu mieux. Ma respiration se calme et je me passe une main sur le front.

Je ne sais pas trop ce qui m'arrive. Pourquoi je défends encore Émy? Est-ce qu'elle a pris ma défense, elle, quand elle était en Alberta et qu'elle profitait de mon absence?! Non! Elle m'a joué dans le dos. Carrément!

Alors, parce que je sens la colère reprendre le dessus, je reviens à Noémie, en souriant méchamment. Oui, on va sortir. On se rendra au parc. Même si, pour cela, je dois passer par la fenêtre pour que mes parents ne le remarquent pas...

— OK, laisse-moi le temps de me préparer, pis je te suis.

Elle en oublie immédiatement notre différend et saute de joie.

— Sauf que je ne peux pas sortir par la porte avant. Ma mère capoterait. Je me glisserai par la fenêtre. Toi, prends mon manteau, ma tuque et mes gants dans l'entrée. Essaie d'être subtile, par contre. Je te rejoins devant la maison. D'accord ?

— Génial ! Viens, que je t'aide à te remaquiller. Je ne sais pas ce que tu as fait, mais tu as du noir en dessous des yeux.

Elle me pèse alors sur l'épaule pour que je me rassoie sur ma chaise, avant de me refaire une beauté.

***

J'ai l'impression d'avoir cinq pouces de fond de teint dans le visage. Si je souris, ça craque. Bon, ce n'est pas trop un problème, vu que je ne souris pas très souvent, mais tout de même... c'est plutôt désagréable. Le gars assis tout près de moi sur l'autre balançoire ne semble pas le remarquer. Il faut que je me souvienne de son nom.

Xavier? Non... Zachary? Pas du tout. Je crois que ça commence par un R... Raphaël? Oui, je pense que c'est ça! Et comme il vient de me poser une question, j'en profite pour lui montrer que je l'écoute attentivement (*euh... non!*).

— Non, je ne viens pas souvent ici. Et toi, Raphaël?

— Raphaël? répète-t-il aussitôt, tandis que l'incompréhension envahit son visage.

Zut... ce n'est pas ça.

— Nathan?

Cette fois, il a un sourire narquois et secoue la tête doucement. Je fais une dernière tentative, en grimaçant.

— Étienne?

— Je m'appelle Laurent, répond-il en se rapprochant de moi. Mais... tu peux m'appeler comme tu veux. L'important, c'est que tu te souviennes de comment j'embrasse...

J'évite ses lèvres de justesse et me relève en vitesse. Il est plus que temps que je m'en aille d'ici. Antony et ses amis sont vraiment de gros idiots! En plus, il fait super froid, et puisque je suis sortie par la fenêtre, je n'ai pas pu prendre ma tuque et mes gants. J'avais demandé à Noémie de le faire, mais elle ne m'a pas écoutée. Et quand je le lui ai fait remarquer, elle a répliqué que ça allait me donner un look de bébé. Sans compter qu'elle avait l'intention de prendre des photos du groupe pour les mettre sur Instagram. Et pour ça, pas question que je porte ma tuque.

Je m'en fiche! Je veux juste retourner chez moi pour me réchauffer. Que ça fasse de moi un bébé ou pas!

Je me dirige d'un bon pas vers la greluche, qui est vraiment très collée à Antony, puis je lui saisis le bras, afin qu'elle se remette sur pied à son tour.

— Hé! Qu'est-ce que tu fais? s'écrie-t-elle en voyant mon visage sérieux.

— Je m'en vais.

— Ne partez pas, les filles! On commençait juste à s'amuser, dit Antony en se relevant, avant de nous empoigner par la taille toutes les deux.

OK, il est plus que temps que la vraie Nadeige prenne le dessus. Sans attendre, je repousse Antony, mais comme il est plutôt costaud et ne se laisse pas faire, je lui envoie un bon coup de genou dans les… là où ça fait mal, disons.

Il se plie en deux en lâchant un gémissement de douleur. Je n'ai aucune pitié quand je lui lance:

— Ne me touche plus jamais, compris?! Bon, Noémie, tu viens avec moi, ou pas?

— Euh… je… je pense que ce serait mieux, oui.

— En effet.

Là-dessus, je lui saisis la main, et nous nous mettons à courir vers ma rue. En chemin, nous ne pouvons faire autrement que d'éclater de rire.

— Non mais, tu as vu le visage qu'il a fait quand tu l'as frappé! s'exclame Noémie en reprenant son souffle.

— Tu n'es pas fâchée?

— Bah, tu sais quoi ? En fin de compte, c'est un crétin, ce gars. Il n'arrêtait pas de me coller et je détestais ça. En plus… ben… il pue de la bouche ! Je n'avais vraiment pas envie de l'embrasser, mettons.

Un sourire détend mon visage tandis que je l'écoute. Elle n'est peut-être pas un cas perdu, finalement, cette fille. Elle hausse les épaules avec grâce, avant de me saluer et de se mettre à courir vers chez elle. Je la suis des yeux quelques secondes pour ensuite me rendre jusqu'à ma fenêtre, que j'ai laissée à demi ouverte pour faciliter mon retour. Je tente de faire le moins de bruit possible, question de ne pas attirer l'attention de mes parents, mais au moment où je pose le pied sur le plancher de ma chambre, la lumière s'ouvre d'un coup sec.

Oups…

C'est ma mère. Elle se tient debout, les bras croisés, tout près de la porte. Et elle n'est pas contente du tout. Du tout…

Je grimace un sourire, auquel elle ne semble pas sensible. Je termine donc mon mouvement et entre complètement dans la pièce, toujours sans dire un mot. Après de longues secondes, ma mère finit par lâcher :

— Sasha a téléphoné, tout à l'heure. Il disait que tu ne répondais pas à ses coups de fil et il voulait te parler, mais… tu n'étais étrangement pas dans ta chambre. Ni dans le reste de la maison. Bizarre, hein ?

C'est ce qu'on appelle se faire prendre la main dans le sac, je crois…

Sasha? Je suis de retour.
Pourquoi tu m'as appelée?

Tu étais où?

Ce n'est pas de tes affaires.

Je sais, mais... en tout cas,
tu reviens tard...

Bon, tu en viens au fait ou pas?

Mais oui, du calme! Ce que tu
peux être bête, quand tu veux.

Ça fait partie de mes plus grandes qualités.

Tu n'es pas drôle.

Ce n'est pas le but.

Mais dépêche, ma mère est devant moi
et attend que je ferme mon cellulaire.

Elle a insisté pour que je t'écrive...

C'est gentil.

Hum.

Ben... en fait, je voulais juste te parler. Parce qu'il faut vraiment qu'on discute de ce qui s'est passé. J'ai des tas de choses à te dire, tu sais.

Bon, je t'arrête tout de suite. Ça ne m'intéresse pas. Je te laisse. Il est tard, comme tu dis.

Argh, zut! Faut que je te laisse, moi aussi. Jordane me gosse. Mais on va se reparler! Foi de Sasha!

À ta place, je ne ferais plus de promesse que je ne peux pas tenir...

Nad, tu es injuste, là.

Bye!

8

ÉMY-LEE

Je viens de passer la pire semaine de toute ma vie. Sans blague. J'essaie de me montrer forte et de rester positive, mais mon courage faiblit... Toutes mes tentatives de réconciliation ont échoué. Nadeige continue de me traiter avec dégoût. Les rares fois où elle me croise dans les corridors de l'école, elle lève le nez et se détourne de moi comme si je risquais de la contaminer. Pourtant, s'il y a une fille propre et aseptisée dans cet établissement, c'est bien moi! Et, fait étrange, elle se tient toujours avec la greluche. Je pensais qu'elle se tannerait (et qu'elle finirait par lui botter les fesses à grands coups de pied au derrière), mais il semble qu'elles s'entendent plutôt bien, finalement.

Qu'est-ce que j'en sais, puisque je ne la vois presque jamais? C'est simple! La greluche publie tellement de photos sur son mur que je suis au courant de ce qu'elle mange (et avec qui!) à chacun de ses repas, de l'heure à laquelle elle prend sa douche (ce qui est loin de m'intéresser!) et de ce qu'elle fait en ce beau vendredi soir (une petite virée au parc avec quelques garçons... et avec Nad, évidemment!).

> Oh! ça y est!
> J'ai trouvé comment occuper
> ma soirée! Je vais me rendre
> au parc, moi aussi.

Quoi... ? J'ai une soudaine envie de me balancer, ça peut arriver, non? Je ne suis pas obligée de me mêler à la conversation, je peux juste écouter. Discrètement. Pour voir si Nad est heureuse. Et là, en m'apercevant au loin, ma *best* réalisera à quel point elle s'ennuie de moi. Et là, elle sera émue. Et là, elle pilera sur son orgueil pour venir me parler.

> Voilà, c'est réglé!

Et qui de mieux pour m'accompagner que mes deux amis? Je rejoins Jackson et Noah dans le salon et leur annonce avec enthousiasme:

— Habillez-vous, les gars. On sort!

Les jumeaux mettent la partie de hockey en sourdine – sérieux, je n'ai jamais compris ce qu'il y avait de si palpitant à regarder des joueurs se disputer une rondelle – et Jackson me demande, plus ou moins intéressé :

— Où, ça ?

— On va faire un tour au parc. Hop, debout !

— Pourquoi on irait au parc à neuf heures du soir ? veut savoir Noah, qui plonge une main dans son plat de popcorn.

— La question est plutôt : pourquoi pas ?

Je lui souris d'un air persuasif en levant les pouces, comme si je venais d'avoir l'idée du siècle.

— Ben, parce qu'il fait froid, répond Noah en reportant son regard sur l'écran. Et que la partie vient juste de commencer.

— Et qu'on doit absolument gagner si on veut se tailler une place en séries éliminatoires.

— Euh… et on s'en fiche, non ?

— Bien sûr que non ! lâchent les jumeaux d'une même voix.

— OK, OK ! Pas la peine de crier. On peut enregistrer le match et l'écouter en revenant si vous voulez.

La réaction de mes amis est limpide : ils me prennent pour une folle. J'aimerais trouver un moyen de les convaincre de m'accompagner, mais c'est peine perdue. Papa vient s'asseoir à côté d'eux avec un sac de chips, et commence à discuter du choix de l'entraîneur quant à la sélection des joueurs sur les unités spéciales. Ark !

Tant pis ! J'irai toute seule au parc ! Et pour ne pas avoir l'air de la fille qui s'incruste, je vais y aller en courant. En arrivant tout près, je n'aurai qu'à faire semblant d'avoir une crampe pour leur demander si quelqu'un a un peu d'eau. C'est un super plan !

Excitée à l'idée de revoir Nad, j'enfile en vitesse mes vêtements et mes chaussures de course. J'ajoute à cela une tuque, une bonne paire de gants, ainsi que mes écouteurs. Je salue tout le monde et claque la porte derrière moi.

L'air est frais, ce soir, et je mets un moment à m'habituer au froid qui pénètre dans mes poumons. Je commence en douceur et, une fois bien échauffée, je pousse un peu afin de délier les muscles de mes jambes. Lorsque j'arrive enfin aux abords du parc, je sens mon cœur battre plus fort. Je suis tellement excitée que j'ai du mal à me retenir de sauter au cou de Nadeige !

Seule ombre au tableau : je ne la vois nulle part.

J'ai beau chercher partout (près du module de jeu, sous les arbres, derrière la cabane de bois...), le parc est aussi vide qu'une classe de maths après le son de la cloche. Torbinouche! Je les ai ratés!

Je sors mon téléphone de ma poche pour fouiller sur le profil de la greluche, au cas où elle aurait indiqué sa nouvelle destination... mais rien. Disparue dans la brume. Je suis trop déçue que mon plan ait échoué!

Bon, qu'est-ce que je fais, maintenant? Est-ce que je retourne à la maison pour entamer mon bouquet de fleurs (il faudrait que je m'y mette si je veux qu'il soit prêt à temps pour la Saint-Valentin), ou est-ce que je continue de courir?

Pourquoi pas les deux?

Mais oui, bonne idée! Tant qu'à être sortie, aussi bien en profiter pour m'entraîner efficacement. De retour à la maison, j'aurai la tête reposée pour commencer mon travail. C'est parti!

Je parcours les rues enneigées d'un pas souple et léger, satisfaite de ma décision. C'est fou comme la course me fait du bien, surtout quand je suis déprimée. Au bout de quelques minutes, une idée géniale me traverse l'esprit. Je vais rendre une petite visite à Sasha! Il habite tout près, et j'ai tendance à oublier qu'il n'en mène pas large, lui non plus, depuis que Nad a coupé les ponts avec lui.

Je prends donc la première rue sur ma droite et la longe pendant quelques minutes, jusqu'à ce que j'aperçoive sa maison. Les lumières sont allumées, il y a sûrement quelqu'un. Une fois sur le pas de la porte, j'hésite à sonner. Je suis un peu mal à l'aise d'arriver sans être annoncée. (Chez mon directeur. Un vendredi soir! À cette heure, en plus!) Ce n'est peut-être pas une bonne idée, finalement. Je m'apprête à faire demi-tour quand des cris me parviennent à travers la porte.

Des cris terribles!

Qu'est-ce qui se passe ici?

Vu leur intensité, je doute que ça provienne de la télé. Est-ce que monsieur et madame Lenoir sont en train de se disputer? Si c'est le cas, ils sont sûrement au bord du divorce parce que ça semble assez violent merci! Partagée entre l'envie de pénétrer dans la maison en douce et celle de me sauver en courant, je tends l'oreille pour essayer d'entendre ce qui se dit. C'est la voix de

Sasha qui se faufile à travers la porte. Il est clairement de mauvais poil.

Je pose une main sur la poignée, mais j'hésite. Je ne vais quand même pas entrer sans y être invitée…

Sasha est peut-être en détresse !

En détresse ? Oh ! Son père a tout un caractère, j'espère qu'il ne s'est pas emporté au point de lui faire du mal.

Encore un cri !
C'est une voix féminine, cette fois !

Madame Lenoir ? OK, c'est décidé, j'entre !

J'empoigne mon cellulaire (pour être prête à appeler les secours s'il le faut) et tourne la poignée d'un geste nerveux. C'est ouvert. Une fois à l'intérieur, les hurlements se font plus forts, plus déchirants. Je reconnais maintenant la voix de Jordane, qui semble au bord de la crise de nerfs.

— Redonne-moi ça tout de suite ! Tu n'as pas le droit !

— Pas le droit ? répète Sasha d'un air scandalisé. Tu te moques de moi ou quoi ? C'est toi qui as commencé, je te ferai remarquer !

— Je n'ai rien fait du tout !

Je retire mes bottes en vitesse, soulagée qu'il s'agisse d'un simple désaccord entre deux « colocataires ». Je suis prête à prendre la défense de Sasha, peu importe la raison de leur dispute. Je les rejoins dans le salon, décidée à intervenir. Ils sont là, tous les deux, des couteaux dans les yeux. Sasha tient le téléphone de Jordane à bout de bras, tandis qu'elle saute pour tenter de le récupérer, tout en multipliant les insultes à son endroit.

— Est-ce que tout va bien ?

Jordane tourne la tête dans ma direction et lève les yeux au ciel, visiblement exaspérée par mon incursion.

— Qu'est-ce que tu fais là, toi ? On sonne avant d'entrer chez les gens, je te signale !

— C'était ouvert, dis-je en posant mon regard sur Sasha. As-tu besoin d'aide ?

— C'est moi qui ai besoin d'aide ! se plaint Jordane. Ton ami m'a piqué mon téléphone !

— Pour t'empêcher de publier des photos de moi, explique Sasha, de plus en plus exaspéré.

— Elles sont géniales !

— Elles sont affreuses! De toute façon, tu n'as pas le droit de prendre des photos de moi sans ma permission! Encore moins de les montrer au monde entier.

— Ben là, le monde entier…, proteste Jordane d'un air boudeur. Il ne faut pas exagérer. Seuls mes amis peuvent les voir.

— Tu en as deux mille cinq cents!

Deux mille cinq cents? Comment peut-on avoir autant «d'amis»? Je crois que j'en suis à cent cinquante. M'enfin, ce n'est pas l'important pour l'instant. Je sais que Jordane est intense avec Sasha depuis la première fois qu'elle l'a vu. J'ose à peine imaginer l'enfer qu'il vit en la côtoyant tous les jours. Je me demande comment monsieur Lenoir réagit face à tout ça…

— Tes parents sont là?

— Bien sûr que non! répond Sasha en reculant d'un pas pour se libérer de l'emprise de Jordane. Tu crois qu'elle agirait ainsi en leur présence? Pff! «Mademoiselle» se conduit comme une gentille fille quand ils sont dans les parages. Mais dès qu'ils ont le dos tourné, elle en profite pour comploter.

— Hé! Je suis là, je te ferai remarquer! se plaint la principale intéressée.

— Je sais bien que tu es là ! J'essaie de t'envoyer un message, au cas où tu ne l'aurais pas compris !

— Tu me fais passer pour une cinglée !

— Et tu te demandes pourquoi ?

Oh… Je dois intervenir avant que ça dégénère. Je croyais qu'il s'agissait d'un petit désaccord sans conséquence, mais ça semble beaucoup plus sérieux. Je m'approche de Sasha et m'interpose entre Jordane et lui, comme un arbitre le ferait pendant une partie de hockey (Jackson et Noah, vous avez clairement une mauvaise influence sur moi !).

— Calmez-vous, tous les deux. Expliquez-moi ce qui ne va pas.

Jordane croise les bras et prend un air boudeur. Même dans cette position, elle est incroyablement jolie. C'est à croire qu'il lui est tout simplement impossible d'être affreuse… Je suis sûre qu'elle rayonne même quand elle pleure, cette fille ! C'est totalement injuste !

— Ce n'est pas ma faute, commence-t-elle en se laissant tomber sur le canapé. C'est Sasha, le problème. Il refuse de venir à la fête de la Saint-Valentin avec moi !

— OK, alors trouve quelqu'un d'autre, dans ce cas, dis-je sans aucune pitié.

— Quelqu'un d'autre? répète-t-elle d'un air ahuri. Mais c'est lui que je veux!

Qu'est-ce qui cloche chez cette fille? Elle croit qu'elle peut tout avoir seulement parce qu'elle en a envie? Je m'adresse à elle comme à un enfant, question de lui faire comprendre l'évidence:

— Oui, je le sais. Mais à moins de l'endormir et de le traîner de force, tu ne peux pas obliger Sasha à y aller avec toi, à cette soirée.

Jordane prend un moment de réflexion. À voir le sourire qui se dessine sur ses lèvres, je conclus qu'elle est en train d'élaborer un plan.

— J'ai une idée! déclare-t-elle en appuyant ses coudes sur ses genoux.

Et voiLà! Qu'est-ce que
je vous avais dit?

— Que pensez-vous d'une petite compétition?

Normalement, Sasha devrait balayer cette proposition du revers de la main. Mais à ma grande surprise, il se montre plutôt intéressé.

— Quel genre de compétition?

— C'est simple, dit Jordane avec enthousiasme. Chacun donnera à l'autre trois actions à exécuter. Celui de nous deux qui en aura réussi le plus sera déclaré vainqueur.

— Vainqueur de quoi ?

— Du défi, voyons ! Si tu gagnes, je te laisse tranquille pour toujours. Mais si c'est moi qui l'emporte, tu es obligé de m'accompagner.

— Ça me va ! annonce aussitôt Sasha.

— Super ! Marché conclu !

— Wô ! dis-je d'une voix forte. Tu n'y penses pas, Sasha ! Imagine la réaction de Nadeige si elle te voit au bras de Jordane à la fête de la Saint-Valentin. Tu pourras dire adieu à votre couple de façon définitive, crois-moi !

— Je sais ! Mais ça vaut le coût de tenter ma chance.

Sasha s'assoit sur la table basse, juste en face de son adversaire, la poitrine gonflée. J'essaie de le convaincre d'abandonner cette stupide compétition, mais il semble prêt à tout pour se débarrasser de Jordane une bonne fois pour toutes. Suis-je la seule à voir le piège se dessiner ? Je doute que cette fille le laisse vraiment tranquille en cas de défaite. Elle est du genre sournoise…

— Ton premier défi est le suivant, déclare Jordane en souriant. Je veux que tu fasses le tour de la maison en sous-vêtements.

Par ce froid ? Elle n'y pense pas ! Des plans pour qu'il attrape une pneumonie ! Et des engelures aux pieds ! Je m'apprête à protester quand Sasha se lève pour se dévêtir. Torbinouche ! Je me cache les yeux avec la main (par respect pour ma best) et le suis jusqu'à la porte de l'entrée, en me répétant mentalement que c'est fou à quel point les gens peuvent être stupides. Deux minutes plus tard, il a réussi son premier défi haut la main. Il est frigorifié, mais encore en vie.

— À ton tour, maintenant ! dit-il en s'enroulant dans la couverture que je lui tends pour qu'il se réchauffe.

— Je suis prête ! lâche Jordane, en secouant les mains pour chasser sa nervosité. Qu'est-ce que je dois faire ?

— Exactement la même chose.

Elle observe Sasha un moment, bouche bée, mais ce dernier hausse les épaules, imperturbable. Je vois très bien ce qu'il essaie de faire. Il lui sert sa propre médecine. En lui infligeant les épreuves qu'il subit lui-même, il s'assure que les suivantes ne seront pas trop difficiles (ou trop humiliantes). C'est brillant !

— Ah, mais non, tu n'as pas le droit de…

— Il a tous les droits, dis-je sans lui laisser le temps de terminer sa phrase. Si tu voulais imposer des règles, il fallait les préciser avant de commencer. Il est trop tard, maintenant.

— Donne-moi une autre sorte de défi, Sasha, l'implore Jordane. Je peux faire plein de choses. Je peux danser, je peux manger des biscuits soda, je peux imiter Justin Bieber, je peux caler trois verres d'eau en trente secondes, je peux...

— À ton tour de courir dans la neige, insiste-t-il.

Je sais que je ne devrais pas, mais je suis si heureuse de voir sa tête déconfite que j'en rajoute un peu :

— En tout cas, moi, j'ai hâte d'assister à ça. Tu permets que je te filme ? Je peux prendre des photos aussi, si tu veux.

— Ce n'est pas la peine...

Jordane pince les lèvres et annonce en quittant la pièce :

— Tu as gagné. J'abandonne.

Je me tourne vers Sasha, les yeux ronds, et lui tape dans la main en signe de victoire. J'étais loin de me douter que ce serait si facile !

Bonjour, suis-je bien sur le téléphone de mademoiselle Nadeige Leblanc?

Euh... oui...

Génial! J'ai le plaisir de vous annoncer que vous avez gagné notre grand concours.

C'est une blague ou quoi?
Quel concours, au juste?

Celui qui circule sur notre page Facebook depuis la semaine dernière.

Non, je n'ai participé à aucun truc de ce genre. Je suis sûre que c'est une blague.

Noémie, c'est toi?

Arrête de niaiser. Je n'ai pas que ça à faire.

Pis si ce n'est pas toi, ben... je n'ai pas le droit d'écrire à des inconnus!

Bye!

Attendez! Vous ne voulez pas savoir ce que vous remportez?

Je m'en fiche!

Ce n'est pas censé se passer comme ça. Normalement, vous devriez sauter de joie et accepter de nous rencontrer pour la remise du prix.

Je ne vois pas pourquoi je devrais être de bonne humeur. Ma vie est un enfer, en ce moment. Ce n'est pas un prix pour je ne sais pas quoi qui va tout régler!

Torbinouche!

Comment ça, torbinouche?

Émy, c'est toi?

Euh... Je ne vois pas de quoi vous parlez...

Attends… Je sais que c'est toi ! Franchement ! Tu as pris le téléphone de qui, là, pour m'écrire ? Je ne reconnais pas le numéro.

OK. Je suis démasquée. Ne m'en veux pas, d'accord ? C'est que je m'ennuie TROP de toi ! Je pensais réussir à te donner rendez-vous à notre pâtisserie préférée.

Et là, on aurait bu un chocolat chaud. Et on aurait discuté.

Soupir…

De toute façon, il fallait que je te parle. Je te réécris plus tard.

Mais sur ton VRAI téléphone, cette fois. Je vais te débloquer. (En tout cas, je vais essayer, parce que c'est vraiment compliqué de… Peu importe.)

Hein ? Pour vrai ?

Pour vrai de vrai ? 😀

Oh, Nadeige ! Je suis trop contente ! 😀😍

Ne t'emballe pas trop. Tu verras bien…

NADEIGE

Je fais semblant d'écouter leurs recommandations, alors qu'en fait, je suis à des kilomètres de là. En face de moi, assis sur le même fauteuil, mes parents sont quasiment plus nerveux que moi. Je crois qu'ils ont surtout honte de mon comportement des derniers jours. De moi, donc. Et qu'ils ont un peu peur de ce que pourront leur dire les parents d'Émy.

> Parce que voilà. Elle s'en vient.
> Ici. Chez moi. Dans ma maison.

Pourquoi ? Pour faire la paix.

Le problème, c'est que justement, j'aimerais ça, moi, qu'on me la fiche, la paix ! Et qu'on me laisse être en colère si je le veux. Le pardon, ça ne se commande pas. Même si mes parents provoquent cette rencontre entre Émy et moi, ça ne va pas tout résoudre. Je vais ENCORE lui en vouloir !

Mais je n'ai pas le choix. Je vais devoir faire comme si tout était effacé. J'espère juste être une assez bonne comédienne pour que tout le monde y croie…

Des bruits de pas retentissent sur la galerie. Peu après, la sonnette de l'entrée résonne. Mon père se lève en vitesse et court quasiment jusqu'à la porte. J'ai le goût de lui rappeler qu'on ne doit pas courir comme ça à l'intérieur, mais… ça risque de ne pas être bien accueilli.

Je l'entends qui salue avec beaucoup trop d'enthousiasme les nouveaux venus. Ils discutent quelques secondes dans le portique, tandis que je baisse la tête, pour fixer mes mains. Je pense que je me suis arraché presque toute la peau autour des ongles. D'ailleurs, mon pouce commence à saigner.

> Bravo, Nad!
> Une vraie championne!

Je porte mon doigt à ma bouche, en soupirant, mais ma mère me tape sur le poignet pour que je le retire de là. Heureusement, elle m'oublie bien vite, car ses invités sont sur le point de nous rejoindre.

Les pas se rapprochent. Je sens que des gens pénètrent dans le salon. Ils sont là. Elle est là. Émy est dans ma maison. Dans mon salon.

J'avale péniblement ma salive. C'est plus dur que je le croyais. Je pensais pouvoir garder mon sang-froid et peut-être même rester de marbre. Mais non. Mes yeux s'emplissent d'eau. Je ferme les paupières avec force pour que les larmes ne coulent pas sur mes joues.

Pendant ce temps, ma mère s'est redressée et est allée à son tour embrasser nos visiteurs. Puis, elle leur offre du café, du thé, un verre de vin? Ils ne prendront que de l'eau. Au ton de ma mère, je sens qu'elle est déçue. Je la connais, elle a peur que ce soit mauvais signe.

> Du calme, maman, ils n'ont simplement pas le goût d'autre chose!

Mon impatience réussit à faire disparaître mon début de larmes. Je me sens maintenant assez solide pour faire face à tout le monde. Je rouvre donc les yeux et relève le menton.

Mais… c'est à croire que je n'étais pas préparée au choc de la revoir ici. Pourtant, je l'ai croisée à quelques reprises, au collège. Oh… presque pas. J'ai tout fait pour l'éviter, il faut dire. Sauf que de la regarder, plantée à l'autre bout du salon, ne sachant sur quel pied danser, me donne l'impression d'avoir une énorme boule dans le ventre.

Si elle n'avait pas agi comme elle l'a fait, en Alberta, je pourrais me lever et aller la serrer dans mes bras. Je pourrais lui faire un clin d'œil, et elle rirait tout bas de voir nos parents si embarrassés. Je lui écrirais quelques textos, pour qu'ils ne nous entendent pas parler. Puis, je l'inviterais dans ma chambre, et on y resterait enfermées jusqu'à ce qu'elle doive repartir.

À la place… je détourne le regard. Je me mets à observer le mur à ma droite. Ce mur sans aucun intérêt. Du coin de l'œil, je la vois tout de même tirer sur le collet de son chandail. Elle se gratte le cou. Elle va être toute rouge. Il faut dire qu'elle fait des plaques facilement. Je la connais tellement, Émy. Je sais comment elle se sent, en ce moment. Je sais ce qu'elle pense.

Alors comment ça se fait qu'elle, elle n'a pas su voir à quel point elle allait me faire du mal ? Si j'avais vraiment été son amie, elle n'aurait pas… J'inspire avec difficulté. J'ai des sanglots dans la gorge. Par chance, ma mère revient à ce moment avec les verres d'eau et personne ne le remarque.

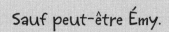 Sauf peut-être Émy.

Tout le monde prend place sur les sofas. Mon ancienne BFF s'assoit entre ses parents, tandis que moi, je reste seule sur la causeuse. J'ai chaud. Non, j'ai froid. Il y a de drôles de courants d'air, dans cette maison. En même temps, je sens que je vais devoir retirer ma veste, parce qu'une bouffée de chaleur me fait rougir les joues.

Mon corps est tout déréglé, en fait...

Ma mère se racle la gorge, puis commence :
— Merci d'être venus. Vous vous doutez un peu de la raison pour laquelle on vous a invités, j'imagine… ?
Elle laisse la fin de sa phrase en suspens pour ne pas avoir à expliquer à quel point sa fille est rancunière et orgueilleuse, j'en mettrais ma main au feu. Je me mords les lèvres, parce que je ne tiens pas à intervenir. Ça n'en vaut pas la peine. Ils ne m'écouteront pas. Même s'ils disent qu'ils sont là pour qu'Émy et moi, on se parle, je sais que c'est faux. Tout ce qu'ils veulent, c'est que je mente. Sauf que j'ai bien des défauts, mais je ne suis pas menteuse…

— D'ailleurs, on tient à vous remercier à notre tour de nous avoir appelés. Émy traîne de la patte dans la maison depuis son retour, et on trouve ça…

— Ce n'est pas vrai, papa, marmonne celle-ci, un peu gênée. Je suis même allée courir près du parc, hier soir.

Quelque chose me fait tiquer. Elle est allée près du parc ? Hier soir ? Alors que j'y étais ? Je ne peux m'empêcher de me redresser pour lui demander :

— Pourquoi tu as fait ça ?

Elle tourne la tête vers moi et je sens que la panique monte en elle.

— Ben… c'est que… ça me tentait de… de sortir ?

— Près du parc ? C'est super loin de chez toi ! Tu me suivais ?

— Comment j'aurais pu te suivre ? On ne se parle même plus, réplique-t-elle, en fuyant mon regard.

Elle me raconte n'importe quoi.

— Tu as vu la photo prise par Noémie, c'est ça ? Et tu t'es dit que ce serait une bonne idée de… Voyons, Émy ! C'est clair que je n'allais pas être contente de te voir là. En plus, c'est dangereux de se promener seule le soir près du parc. Tu n'aurais pas dû y aller !

— Bon, on peut revenir au sujet qui nous intéresse? nous interrompt mon père. Vous n'êtes pas ici pour discuter de votre soirée d'hier. On veut que vous vous expliquiez sur les vraies raisons de votre chicane. Et aussi, que vous fassiez la paix.

— Vous êtes amies depuis tellement longtemps, ajoute ma mère. Ça ne peut pas se terminer comme ça…

Les parents d'Émy acquiescent en nous regardant, les yeux pleins d'espoir. Je grogne tout bas, avant de déclarer :

— Ça va, Émy, je ne t'en veux plus. On peut redevenir amies.

> Le tout, sans la regarder.
> Parce qu'elle verrait que je mens…
> (Quand je disais que je n'étais pas
> douée pour ça…)

Un petit silence accueille ma déclaration. Du moins, personne ne parle, mais j'entends les soupirs de soulagement autour de moi. Jusqu'à ce que mon ancienne *best* prenne la parole à son tour.

— Mais oui, c'est ça! lâche-t-elle d'un ton désabusé.

— Qu'est-ce qui te prend, ma grande? demande sa mère en me pointant du doigt. Nadeige a dit qu'elle voulait redevenir ton amie, tu devrais être contente.

— Elle ne le pense pas, insiste Émy, les lèvres pincées.

— Comment tu peux dire une chose pareille? Ne sois pas de mauvaise foi non plus, ajoute son père.

Mes parents, eux, se taisent et préfèrent ne pas intervenir. J'imagine qu'eux aussi, ils me connaissent assez pour savoir que je ne suis pas franche. Pendant ce temps, Émy explose:

— Je ne suis pas de mauvaise foi, papa! Elle essaie seulement de vous faire croire que tout est arrangé entre nous!

Elle se tourne vers moi et ajoute, le visage rouge:

— Tsé, Nad, si tu me détestes à ce point, tu n'avais qu'à ne pas m'inviter pour que je me fasse de faux espoirs! Ce n'est pas correct! Oui, j'ai fait une gaffe. Oui, je t'ai fait de la peine. Mais moi aussi, j'ai de la peine, tu sauras! Tu n'as pas le monopole de la souffrance! Arrête de te regarder le nombril et redescends sur terre! Il y a des gens qui t'aiment, autour de toi. Sauf qu'ils ne resteront peut-être pas là éternellement! En tout cas, moi, je ne sais pas combien de temps encore je vais être capable d'endurer tout ça! termine-t-elle, le souffle court.

Elle se lève pour conclure sa tirade, et je l'imite sans m'en rendre compte. Nous nous fixons quelques secondes, presque sans cligner des yeux, avant qu'elle pivote et sorte de la maison.

En faisant claquer la porte.

Aussitôt, la cacophonie redémarre de plus belle dans le salon. Mes parents et les siens se mettent à parler en même temps. Les premiers s'excusent mille fois de mon attitude, tandis que les seconds n'en reviennent pas de celle de leur fille, qu'ils n'ont jamais vue dans cet état.

J'imagine que je devrais en profiter pour filer directement dans ma chambre, mais... je ne résiste pas. Je suis tannée de me retenir de me confier à Émy. Alors je fonce à mon tour vers la porte pour la rejoindre.

Oh... Il ne faudrait pas croire que j'y vais pour lui annoncer que tout est oublié. Que je vais lui pardonner ce qu'elle a fait. Non, si je veux lui parler, c'est pour enfin lui dire tout ce que j'ai sur le cœur. Après tout, c'est ce qu'elle vient de faire. Alors pourquoi je n'aurais pas le droit, moi aussi ?

Lorsque j'atterris sur la galerie, après avoir enfilé mon manteau à la va-vite, je l'aperçois qui fait les cent pas devant la voiture de ses parents. Je fonce vers elle et descends les marches en en oubliant quelques-unes, ce qui fait que je trébuche et manque de tomber par terre.

> Ce n'est pas ce qu'on pourrait appeler une entrée en scène très glorieuse...

Je me ressaisis et me redresse une fois près d'elle pour reprendre mon souffle. Puis, je me lance :

— Tu croyais vraiment que j'allais te pardonner comme si de rien n'était ? Que j'allais passer l'éponge là-dessus ? Voyons, Émy ! Toi et Sasha, vous avez...

Je n'y parviens pas. Juste de le dire, ça me fait imaginer la situation en détail. Mais mon ancienne BFF ne me laisse pas terminer et enchaîne déjà :

— Je saaaais ! Mais je n'avais pas le choix ! Je voulais seulement l'aider, parce que Jordane ne le lâchait pas d'une semelle ! C'était... c'était un bec d'amitié, genre. Ça ne m'a rien fait du tout. J'avais l'impression d'embrasser mon frère, si tu veux tout savoir !

— Mouais, c'est ça…

— Je te jure, Nad !

— Ben alors, pourquoi tu ne me l'as pas dit dès que c'est arrivé ? Avoue que tu ne m'aurais rien dit, si je n'avais pas tout découvert ! C'était ça, ton plan ! Me mentir pour toujours !

— C'est faux ! J'avais prévu de tout t'avouer. Au début, Sasha n'était pas trop d'accord, mais…

— PARCE QUE VOUS EN AVEZ DISCUTÉ ???

Cette fois, c'en est trop ! Ils ont parlé de leur baiser durant des semaines ! Je ne veux même plus entendre ce qu'elle a à me raconter. Je suis tannée. J'en ai ma claque ! Il est temps de passer à autre chose. Et si cette autre chose ne comprend pas Émy, tant pis ! Ce sera SA faute, pas la mienne !

Sans attendre sa réponse, je tourne les talons et reviens vers la maison. Je l'entends crier quelque chose, mais je n'y prête pas attention.

Non, en fait, ça ressemble un peu à…

« Ben c'est ça ! Si tu ne peux pas comprendre, va te faire… »

OK, la fin me surprend un peu, venant d'Émy, mais je ne le montre pas et remonte les marches menant de la galerie pour me réfugier à l'intérieur. Je me faufile ensuite entre les adultes, tous entassés dans l'entrée (et encore en train de s'excuser d'avoir des enfants si horribles), afin de me rendre jusqu'à ma chambre, où je repousse ma porte avec force.

Moi aussi, je suis capable de la faire claquer! Mais dès que je me laisse tomber sur mon lit, en permettant enfin à mes larmes de couler, ma mère pénètre dans ma chambre, furieuse. Elle m'aperçoit alors et, constatant mon état, elle se calme aussitôt. Peinée, elle vient s'asseoir à côté de moi et passe un bras autour de mes épaules. J'appuie ma tête sur elle.

Je murmure:

— Pourquoi elle a fait ça? Pourquoi elle m'a fait ça?

Ma mère inspire, puis finit par chuchoter à son tour:

— Je ne veux pas prendre sa défense, mais… elle devait avoir une bonne raison.

Je ne réponds pas. Je ne sais plus. Peut-être que c'est vrai. Mon cerveau est tout embrouillé. Je n'arrive plus à réfléchir correctement. Ça me donne quasiment mal à la tête, toute cette histoire.

Je crois que j'ai juste besoin de sommeil. Je voudrais dormir et me réveiller dans dix ans, pour me rendre compte que tout cela n'était qu'un cauchemar.

Salut. Je n'ai plus le droit de te bloquer.

Mais ça ne veut pas dire que je suis d'accord pour qu'on redevienne amies.

Je croyais que tu t'empresserais de me répondre...

Émy?

Bon... c'est peut-être mieux comme ça, après tout.

10

ÉMY-LEE

Le cours est plaaaate ! Et loooong !

Ce n'est pas dans mes habitudes d'être inattentive en classe. Tout le monde sait que je suis une élève modèle. Le genre de fille qui écoute avec intérêt et qui prend des notes pour ne rien oublier (avec des stylos de différentes couleurs pour bien compartimenter les informations). C'est ainsi depuis que je suis petite. Je me suis efforcée d'avoir une attitude exemplaire CHAQUE JOUR de ma vie pendant mon primaire ET mon secondaire.

Je crois même avoir été quasi parfaite à la garderie aussi !

Là, je dis que je mérite une pause. Et ça commence maintenant ! Mon humeur épouvantable et moi, on fait la grève aujourd'hui ! Tant pis pour ceux qui ne seront pas contents !

Le menton posé sur mes bras, le corps penché sur le comptoir du laboratoire de sciences, je repasse en boucle les événements de la veille.

Je sais, je ne devrais pas me torturer l'esprit de la sorte, mais c'est plus fort que moi. J'étais tellement contente, au départ, d'aller chez Nad, que j'ai momentanément oublié à quel point elle a une tête de cochon. J'ai réellement cru que le temps de la réconciliation était ENFIN arrivé. Mais non, elle s'est montrée aussi butée que d'habitude. Elle s'imagine des complots là où il n'y en a pas !

Je ne veux rien savoir de Sasha !
Est-ce qu'elle va se mettre ça dans
le crâne une bonne fois pour toutes ?

— Émy-Lee, le prof te parle.

— Hein ? Quoi ?

Je relève la tête, un peu étonnée de me trouver à l'école (je suis en pause, ne l'oubliez pas, ce qui signifie que j'ai parfaitement le droit de me déconnecter du monde qui m'entoure).

— Est-ce que tout va bien, Émy-Lee ? demande monsieur Paillé en s'approchant de ma table de travail. Tu es malade ? Tu veux rentrer chez toi ?

Voilà ce que ça donne, d'être une élève modèle ! On ne peut même pas se rebeller en paix ! Je n'ai aucune crédibilité dans mon rôle de fille frustrée. Aussitôt, le prof s'imagine qu'il m'arrive quelque chose de grave.

Ce qui n'est pas tout à fait faux…

— Non, non, ça va, merci, dis-je à voix basse. Je suis juste un peu fatiguée, désolée.

Je me remets bien droite, le cœur battant, et prends un crayon entre mes doigts pour montrer que je suis prête à me remettre au travail.

Wow! Méchante rebelle!

Oui, bon, je manque un peu d'entraînement, mais je vais y arriver. Monsieur Paillé me regarde avec suspicion et retourne à l'avant de la classe pour continuer ses explications. Pendant ce temps, Olivier me souffle à l'oreille :

— Est-ce que je peux faire quelque chose pour t'aider, Émy-Lee ? Tu n'as vraiment pas l'air dans ton assiette.

— C'est bon, je gère. Merci.

Olivier… Ce cher Olivier…

Je me demande comment j'ai fait pour sortir avec lui tellement il me tape sur les nerfs depuis mon retour de l'Alberta. Il passe son temps à m'écrire et à me raconter ses journées. Comme si ça pouvait m'intéresser ! J'ai déjà un Talbot sur les bras, pas besoin d'un Olivier collant en plus ! Au moins, notre projet de sciences est terminé, ce qui fait que je n'ai plus à travailler avec lui en dehors des cours. Heureusement, parce que je pense que je l'aurais étripé !

Bon, peut-être pas étripé (je ne suis pas de nature violente), mais presque !

— Ça va bien entre Sasha et toi ?

— Hein ?

— Ben, tu as l'air tout à l'envers, alors je me dis que peut-être… peut-être que ça ne se passe pas comme tu le veux avec ton chum.

Je fronce les sourcils, étonnée par son commentaire, et comprends qu'Olivier a vu LA fameuse photo. En même temps… qui ne l'a pas vue ? Elle a été aimée et partagée tellement de fois que toute l'école est au courant.

— On ne sort pas ensemble, Sasha et moi, dis-je d'une voix lasse.

— Ah non ?

Le visage d'Olivier s'illumine. Je pousse un soupir découragé et lui explique qu'il s'agit d'un malentendu, qu'il n'y a jamais rien eu entre Sasha et moi et qu'il ne se passera jamais rien non plus. Puis, je termine en mettant un terme à ses espoirs, histoire qu'il comprenne qu'il n'a aucune chance de me récupérer.

— Je ne veux pas de chum pour le moment, Oli. C'est un paquet de troubles.

— Certains sont plus gentils que d'autres, répond-il, comme pour me convaincre de lui donner une autre chance.

— Sasha est très gentil, lui aussi, dis-je en serrant les dents. C'est pour ça que j'ai essayé de l'aider. Est-ce que ça en valait la peine? Non! Sans lui, rien de tout cela ne serait arrivé… et je serais toujours amie avec Nadeige.

— Attends, vous vous êtes disputées?

— Sur quelle planète tu vis, coudonc? Tu n'as pas remarqué qu'on n'était jamais ensemble depuis mon retour?

— Pas vraiment.

À côté de nous, un élève nous fait signe de nous taire en posant un doigt sur ses lèvres. En

parfaite rebelle que je suis, je lui fais une grimace et continue de parler :

— Nos parents s'en sont mêlés, hier soir.
Ça n'a fait qu'empirer la situation.

— Oh, je suis désolé, Émy. Je sais à quel
point ton amitié avec Nad est précieuse. Est-ce
que je peux faire quelque chose ?

Je secoue la tête de gauche à droite en rava-
lant mes larmes. Je ne veux surtout pas pleurer
en classe, mais c'est de plus en plus difficile de
me retenir. Ma poitrine est tellement compri-
mée depuis hier que j'ai l'impression que je vais
exploser. C'est violent, c'est douloureux. Mon
cœur est en mille morceaux…

Pendant que je me concentre pour garder le contrôle de mes émotions, on frappe à la
porte du local. Monsieur Paillé cesse ses explications et va ouvrir. Son visage trahit aussitôt
son impatience.

— Voilà l'ange de la Saint-Valentin,
annonce-t-il en soupirant.

Cet ange, c'est Lauralie, une fille de cin-
quième secondaire. Chaque jour, elle enfile
ses ailes de carton et accroche une auréole au-
dessus de sa tête pour se mettre dans la peau de
son personnage, jusqu'à ce que tous les valentins soient distribués.

Elle a l'air complètement ridicule !

Elle entre dans la classe en souriant, sous les applaudissements des élèves. La moitié d'entre eux se fichent éperdument de la distribution des valentins ; ils sont juste heureux que le cours soit interrompu un moment.

— Bonjour, bonjour ! nous lance Lauralie en guise de salutation en s'appuyant sur le bureau du prof, un panier rose à la main. J'espère que vous êtes en forme parce que j'ai beaucoup de courrier, aujourd'hui !

Nouveaux applaudissements de la foule en délire, tandis que je m'affale sur ma table de travail, la tête posée sur mon bras. C'est parfait pour faire la sieste.

— Commençons, si vous le voulez bien, dit notre ange en plongeant une main dans son panier pour en sortir une lettre. Est-ce qu'il y a un Mathis B. dans la salle ?

Il y a un moment de silence. Puis, le Mathis en question se lève, pendant que son ami Phil lui donne une tape dans le dos.

— *Yeah !* Mat le Don Juan ! s'exclame-t-il pour se moquer gentiment. Allez, va chercher ton courrier ! On a hâte de savoir qui t'a écrit.

— C'est confidentiel, intervient Lauralie, en tendant à Mathis la jolie lettre sur papier rose. Personne n'est tenu de révéler le nom de l'expéditeur.

— Moi, je dis que ça vient de sa mère! lâche un dénommé Vincent d'une voix forte.

— Ou de son chien! ajoute Phil en riant aux éclats.

Monsieur Paillé demande aux élèves de se calmer, sans quoi il ordonnera à notre ange de quitter la classe sur-le-champ. Pendant ce temps, le visage de Lauralie prend un air moqueur.

— Si ma mémoire est bonne, il y a aussi un valentin pour toi, Phil, annonce-t-elle en fouillant dans son panier. Oui, le voilà!

Cette fois, c'est l'hilarité générale dans le local de sciences. Monsieur Paillé frappe dans ses mains pour ramener l'ordre, sans grand succès. Pendant que tout le monde s'amuse, Olivier me jette des regards en coin. Je me force à lui sourire pour ne pas trop l'inquiéter, mais ce que je veux, en réalité, c'est que notre ange s'en aille au plus vite. Ce boucan m'empêche de dormir.

La distribution s'étire encore quelques minutes, pendant lesquelles Lauralie prend plaisir à nommer les destinataires de ces « merveilleux messages d'amour et d'amitié ». Et moi, je ronge mon frein en me doutant bien que Nadeige n'a pas daigné ouvrir ceux que j'ai si soigneusement préparés pour elle.

J'ai vaguement conscience qu'on dépose quelques valentins sur la table à côté de moi. Mais comme je m'en fiche éperdument, je ne prends pas la peine d'y jeter un coup d'œil. Ce soir, peut-être, si je vais mieux. À ma droite, je sens bien qu'Olivier est nerveux. Je parie que la moitié des messages viennent de lui, mais je ne lui donne pas la satisfaction de les lire. Des plans pour qu'il s'imagine que ça me touche…

— Bon ben, voilà, annonce Lauralie en souriant. Mon panier est vide. Avant de partir, j'ai une petite surprise pour l'une d'entre vous.

Elle se dirige vers la porte du local et fait signe à quelqu'un que la voie est libre. J'aimerais fermer les yeux et faire comme si ça ne m'intéressait pas, mais ma curiosité l'emporte. Je relève la tête au moment où Talbot entre dans la pièce, un bouquet de ballons rouges dans une main, un grand carton rose dans l'autre.

Torbinouche !

Je laisse tomber mon front sur mes bras pour me cacher le visage, convaincue que je vais passer les minutes les plus humiliantes de toute ma vie.

— Bonjour, fait la voix hésitante de Talbot, tandis que des murmures s'élèvent autour de moi. Je... je voulais faire une surprise à Émy-Lee pour la Saint-Valentin, vu que... vu qu'elle a accepté d'être ma cavalière à la soirée de vendredi prochain.

Un sifflement se fait entendre, ainsi que des « wout-wout » bien sentis. J'aimerais disparaître. Là, tout de suite. Cesser d'exister...

— Je t'ai écrit un poème, Émy-Lee. Cela va comme suit...

Talbot se racle la gorge et commence à réciter les vers qu'il a composés à mon intention. Torbinouche de torbinouche ! Ma vie n'est-elle pas déjà assez un enfer ? Pour vrai ! Qu'est-ce que j'ai fait pour mériter ça ?

Je tourne la tête pour jauger la réaction des autres, mais, étonnamment, tout le monde écoute avec respect la création de Talbot. Même Olivier semble touché par cette belle attention.

— C'est si romantique..., me souffle-t-il. J'aurais dû y penser avant...

— Tu me niaises ?

— Quoi ? dit-il, des cœurs dans les yeux. Ne viens pas me dire que ça te laisse indifférente ?

— Totalement.

Olivier me toise un moment, l'air plutôt étonné.

— Qu'est-ce qui ne va pas, Émy-Lee? demande-t-il en posant une main sur mon bras. Tu n'as pas l'habitude d'être si insensible.

Ça, c'est la goutte qui fait déborder le vase!

— MOI? INSENSIBLE?

Tout le monde se tourne dans ma direction d'un même mouvement. Monsieur Paillé lève les sourcils, Talbot marque une pause, et Lauralie ouvre la bouche bien grande. Le silence plane dans la classe et, pour la première fois de ma vie, je suis contente d'être au centre de l'attention. Je me lève d'un bond, décidée à faire passer mon message de façon claire, nette et précise :

— Je fais juste ça, être sensible, depuis que je suis née! dis-je d'une voix forte. Un rien me donne le goût de pleurer! Je m'inquiète tout le temps! Je me pose des tas de questions et j'ai mal au ventre dès qu'on me regarde trop long-temps! Mais aujourd'hui, j'ai décidé d'être brave ! Et vous savez quoi ? Personne ne peut me reprocher ça !

— Je ne voulais pas te reprocher quoi que ce soit, Émy…, marmonne Olivier d'un air déconfit.

— Bien sûr que oui ! Et je sais pourquoi ! Tu es fâché parce que je refuse de reprendre avec toi. Mais j'ai été claire : JE NE VEUX PAS DE CHUM ! Et ça s'applique à toi aussi, Talbot ! Tu es très drôle et super gentil, mais tu peux arrêter, maintenant. On ne sortira jamais ensemble tous les deux. Tu m'entends ? JAMAIS !

À l'avant de la classe, Talbot laisse tomber son carton au sol, le visage blême. Monsieur Paillé se frotte la nuque avec la main et s'approche de moi d'un air désolé. La colère et le désespoir font toujours rage en moi. Maintenant que j'ai commencé, je n'arrive plus à m'arrêter.

— Je fais une croix sur les garçons, vous comprenez ? C'est Nadeige que je veux !

— On comprend, Émy-Lee, murmure monsieur Paillé. Suis-moi à l'extérieur de la classe, d'accord ?

— Je n'ai pas fini !

— Je pense que oui. Allez, viens. On va aller faire un tour à l'infirmerie.

— Qu'est-ce que vous racontez ? Je ne suis pas malade !

Pourquoi tout est si embrumé dans mon esprit, tout à coup ? Quelqu'un pose délicatement la main sur ma taille, puis m'aide à sortir du local. J'ai du mal à mettre un pied devant l'autre tellement je suis confuse. Mon cœur palpite dans ma poitrine. Ma respiration est saccadée.

— Je suis étourdie... Je... Ma vision s'embrouille.

— Tu vas bientôt pouvoir t'allonger, me dit une voix que je ne reconnais pas.

— Trop tard...

Mes jambes se dérobent sous moi et tout devient noir.

Salut, Nad.

Je sais que tu ne veux pas que je t'écrive, mais je me suis dit que tu aimerais peut-être avoir de mes nouvelles, vu ce qui s'est passé.

Tu parles de notre rencontre d'hier ?
Pas trop le goût de revenir là-dessus…

Non, c'est autre chose…

Ça ne me tente pas de savoir ce que c'est.

Je te connais, tu fais semblant de ne pas t'intéresser à ce qui m'arrive. Mais les nouvelles vont vite dans cette école. Je sais que tu es au courant.

Hein ? Non, je n'ai vraiment aucune idée de ce qui se passe.

Tu es malade ?

Ah non, je sais… tu CROIS que tu es malade. Parce que c'est ce que tu fais le mieux, CROIRE que tu as douze mille maladies !

Wow ! Je ne pensais pas que tu descendrais si bas… ☹

Je comprends que tu m'en veuilles, mais tu n'es pas obligée d'être méchante.

J'ai fait une crise de panique, tu sauras.

Qu'est-ce que je disais…

C'est super rare que ça m'arrive !

Tu te souviens de la dernière fois que j'en ai fait une ? C'était sur le toit, pendant l'inter-collèges.

Tu m'avais réconfortée. Ça m'avait beaucoup aidée. ♡

Aujourd'hui, tu n'étais pas là...
J'ai trouvé ça difficile sans toi.

Il fallait y penser avant...

Avant de faire une crise de panique ?
Comme si j'avais fait exprès !

Anyway, tu me manques. C'est
tout ce que je voulais te dire.

Je ne sais pas quoi te répondre. Je dois
y aller, de toute façon. Noémie et moi,
on est en train de faire du magasinage.

Mais... fais quand même attention à toi.

11

NADEIGE

* Émy pète une coche dans son cours de sciences : qu'est-ce que je peux y faire ?

* Elle se retrouve à l'infirmerie : je devrais me sentir responsable, avec ça ?

* Elle m'écrit pour s'assurer que je suis au courant : je réponds quoi, moi ?!?

* Elle me fait me sentir coupable en me rappelant toutes les fois où j'ai été là pour elle, alors que désormais... ce n'est plus le cas !

On n'est PLUS amies ! Je ne vais pas accourir à la seconde où elle tombe dans les pommes ! Même si, bon, je dois admettre que ce n'est pas rien. Et qu'une TOUTE PETITE part de moi s'est aussitôt inquiétée, quand j'en ai entendu parler.

D'ailleurs, Noémie s'est fait un plaisir de me raconter la crise de nerfs d'Émy dans son cours. Le tout, en riant et en se moquant de mon ex-BFF. Je suis restée de marbre. Je ne savais pas quoi dire et, de toute façon, je me doutais bien que c'était un test de la part de la greluche. Tout ce qu'elle voulait, c'était savoir comment je me sentais et si j'étais sincère dans mon désir d'expulser Émy de ma vie.

Mais moi, je n'ai pas le goût d'embarquer là-dedans. Ce que je ressens, je préfère le garder pour moi. Et donc, j'ai attendu que Noémie termine sa tirade, pour passer à un autre sujet.

Et présentement, alors qu'Émy prend la peine de m'écrire pour me rassurer (parce que je dois bien avouer que c'est exactement l'effet que ses textos ont sur moi), je fais comme si je m'en fichais. Même si c'est faux. Pour ne pas être tentée de lui envoyer d'autres messages, je range mon cellulaire et lève les yeux sur ce qui m'entoure.

Qu'est-ce que je fabrique ici, au juste? Après les cours, Noémie m'a rejointe à la maison (faisant soupirer mes parents pour la centième fois) pour m'inviter à aller magasiner. La plupart des boutiques sont sur le point de fermer, et on a à peine eu le temps d'entrer dans une ou deux.

Si ma mère a accepté de me laisser sortir, c'est parce que je l'ai convaincue qu'il me manquait LA robe parfaite pour la soirée de Saint-Valentin qui doit avoir lieu ce vendredi. Avant, soit je n'y serais même pas allée, soit j'aurais porté un simple jeans avec un t-shirt coloré. Mais j'ai un nouveau look à conserver (selon Noémie, du moins), ce qui fait que je dois me dénicher quelque chose de potable à enfiler.

Cela n'a pas eu l'air de déplaire à ma mère. Je crois qu'elle est tannée de me voir toujours mettre mes vieux vêtements. Elle pense que je pourrais faire des efforts. Et même si elle n'apprécie pas trop ma nouvelle fréquentation, elle était d'accord pour que je participe à cette séance de magasinage. À la condition que je rentre à temps pour le repas.

La greluche voulait que j'en profite pour l'inviter à rester souper, mais j'ai fait comme si je ne comprenais pas ses messages très peu subtils. De toute façon, ma mère n'aurait jamais dit oui !

Le centre d'achats où nous sommes se vide peu à peu et nous n'avons rien trouvé, ce qui n'empêche pas Noémie de vouloir traîner sur place.

— Pourquoi on ne s'en va pas ? lui dis-je en soupirant.

— Attends, tu vas comprendre…

C'est comme si je voyais une ampoule rouge s'allumer au-dessus de sa tête. Signe qu'elle vient d'avoir une très mauvaise idée. Je commence à la connaître, Noémie. Pas certaine que ça me plaise, cela dit. Mon téléphone bipe alors et, pour ne pas lancer un truc que je pourrais regretter, je le saisis afin de voir la nouvelle notification que je viens de recevoir.

Je secoue la tête en comprenant que ça provient de la greluche. Elle m'a taguée dans un lieu, soit le centre d'achats. Ce n'était pas nécessaire. Je ne tiens pas à ce que tout le monde puisse me suivre à la trace.

— OK, j'ai faim, là. Je m'en vais !

— Non ! Ce ne sera pas long, promis, dit Noémie en me retenant.

— De quoi tu parles ?! Si tu as donné rendez-vous à Antony et à sa gang, je te le dis, je ne veux pas rester ici pour le savoir !

— Mais non, rien à voir avec cet idiot ! Ce n'est pas lui, qu'on attend…

— C'est qui, alors ?

— Arrête de poser autant de questions. Je te dis que tu ne seras pas déçue, lâche-t-elle en soulevant ses sourcils à plusieurs reprises.

Je ronchonne tout bas avant de prendre place sur un banc, en plein milieu du couloir.

Je regarde les vendeurs refermer les grilles de leur commerce, puis les verrouiller. C'est long.

— Combien de temps ça va prendre avant que…

— Tu es donc bien impatiente, Nadeige !

— Je sais, c'est une de mes plus grandes qualités.

Noémie éclate de rire, avant d'ouvrir de grands yeux en jetant un coup d'œil derrière moi. Bon, enfin ! On va pouvoir s'en aller. Je me tourne et aperçois…

Sérieux, c'est ça, sa surprise ? Jordane marche rapidement vers nous.

> Noémie a invité Jordane. Alias la fille qui habite chez Sasha. Double alias : celle à cause de qui Émy a embrassé mon ex.

À quoi ça rime ?

— Salut, les filles ! lance Jordane en arrivant près de nous. Je suis là. Désolée du retard. Sasha n'habite pas très près d'ici, alors…, commence-t-elle, toujours sans que je comprenne la raison de sa présence ici.

Je hausse les sourcils pour que Noémie m'explique. Et elle est mieux d'avoir une bonne justification !

— Pas grave ! lance joyeusement Noémie, sans se soucier de moi. J'avais hâte que tu arrives. Depuis le temps que je me dis que tu as l'air d'une fille super cool. Il était temps qu'on fasse quelque chose ensemble !

— Ah, ben… merci, roucoule Jordane, tandis que je manque de m'étouffer avec ma salive.

Sérieux ?! Noémie veut devenir amie avec cette fille ? Bon, alors ce sera sans moi ! Je me lève pour les planter là, mais la greluche se décide enfin à intervenir et à s'intéresser à moi. Elle m'attrape par le bras, puis me serre contre elle, tout en me présentant à la nouvelle venue.

— Oh, Jordane, tu connais Nadeige ? C'est ma *best* !

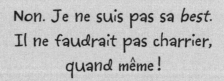

Non. Je ne suis pas sa *best*. Il ne faudrait pas charrier, quand même !

— C'est toi, l'ex de Sasha, c'est ça ? demande alors Jordane, tandis que son visage se ferme d'un coup sec et qu'elle me reconnaît enfin.

— Ouais… On peut dire ça.

— Aaaah... Tu sais que je l'ai vu presque entièrement nu, vendredi dernier ? Il est vraiment mignon, en tout cas. Je te comprends d'avoir eu le *kick* sur lui.

Je m'apprête à lui dire que ce n'était pas seulement un *kick* (et c'est quoi cette histoire de le voir presque nu???), mais Noémie me devance, en s'écriant :

— S'il n'était pas le fils du directeur, c'est clair que j'aurais fait un *move*. Hé, on se fait un *selfie*, les filles ?!

Elle ne nous laisse pas le temps de réagir que, déjà, elle nous plante son cellulaire sous le nez, en attrapant Jordane pour la rapprocher de nous. En deux temps trois mouvements, la voilà qui publie la photo sur sa page, avant de relever la tête pour nous proposer, les yeux remplis de malice :

— Bon, cela dit, on ne va pas rester là éternellement. Ça vous dirait d'aller vérifier si les grilles de la boutique de bijoux ont été bien fermées ?!

Euh… quoi ?! Parle-t-elle vraiment d'aller voler dans un magasin ? En plus, elle a lâché ça comme si c'était parfaitement normal. Voulant m'assurer que ce n'est pas ce que ça signifiait, je demande :

— Qu'est-ce que tu veux dire par là ?

— Moi, je suis partante ! me coupe Jordane, en empoignant le bras de Noémie.

Elles commencent à s'éloigner, mais Noémie s'arrête après quelques pas, pour se tourner vers moi.

— Allez, viens ! On va s'amuser !

— Non, je ne pense pas. Vraiment pas, même. Et de toute façon, je dois aller souper. Mes parents vont m'attendre.

— Oh, tes parents vont t'envoyer dans ta chambre si tu rentres trop tard ? me nargue Jordane en prenant une petite voix.

Ouais. Je la déteste.
C'est officiel.

Noémie intervient avant que je saute à la gorge de sa nouvelle amie.

— De toute façon, la sortie est par là-bas. Viens, on va faire un bout de chemin ensemble.

Je lève les yeux au ciel, mais finis par les suivre. Je n'ai pas trop le choix. Toutefois, je me tiens à distance respectable des deux filles, pour que Noémie n'ait pas de nouveau le goût de nous prendre en photo toutes les trois. Ce qui me fait penser que ceux qui vont voir sa photo vont tout de suite s'imaginer que nous sommes devenues hyper copines.

J'espère qu'Émy ne se laissera pas berner. Voir que je pourrais me tenir avec une fille comme Jordane. Bon, je passe bien du temps avec la greluche, mais c'est différent.

Ben... pas tellement, mais... je me comprends !

En chemin, nous croisons la boutique de bijoux et les deux autres s'arrêtent pour s'approcher du grillage. De mon côté, je reste en retrait, question de ne pas leur donner l'impression que j'encourage leur attitude. Jordane réussit à se glisser le bras par un trou et attrape quelque chose.

— Oh ! Je pense que c'est un collier, les filles ! Je devrais être capable de...

— JE PEUX SAVOIR CE QUE VOUS FAITES LÀ ??? tonne une voix grave non loin de nous.

C'est le gardien de sécurité du centre d'achats. Il vient de nous apercevoir et il se doute sûrement de ce qui est en train de se passer. Jordane sort son bras de là en moins de deux et se met à courir à toute vitesse, Noémie sur les talons. Moi, ça me prend une seconde de plus pour réagir.

Évidemment ! Il fallait que je me fasse prendre avec deux voleuses ! Embraye, Nad, ce n'est pas du tout une bonne idée de te faire attraper par le gardien de sécurité. Je doute qu'il te croie, quand tu lui diras que tu n'as rien fait !

J'accélère comme je le peux, mais une grosse main agrippe le bout de ma tuque et la tire vers l'arrière. Je ne m'arrête pas pour autant et je fonce vers la sortie, qui vient d'apparaître devant nous. Jordane est la première à s'éclipser, sitôt suivie de Noémie. Une seconde plus tard, c'est à mon tour de mettre le pied dehors.

Sans ma tuque. Mes parents vont vouloir m'étriper quand je leur expliquerai comment je l'ai perdue...

Ouin, je pense que le mieux, c'est encore de ne rien dire. Même si je sais que c'est un demi-mensonge, je préfère ne rien leur avouer. Aucune chance qu'ils me croient.

Nous tournons le coin de la rue et nous débouchons dans une ruelle où nous reprenons enfin notre souffle. Moins de dix secondes plus tard, je me redresse et bouscule Jordane, qui manque de tomber par terre.

— Hé, c'est quoi ton problème ?! me crie-t-elle dessus en me poussant à son tour.

— À cause de vous deux, j'ai failli me faire attraper par le gardien ! C'était complètement stupide, cette idée d'aller voler ! Franchement !

— Ce n'est pas vraiment du vol ! Les vendeurs n'ont qu'à installer un meilleur grillage ! réplique Jordane en croisant les bras devant elle. C'est presque une invitation, leur affaire !

— Non mais, tu t'entends ?! J'espère que tu n'y crois pas réellement, à ton excuse bidon. Et toi, Noémie, tu allais les voler ? Pour vrai ?

Elle hausse les épaules, un peu ébranlée, mais sans plus. Je secoue la tête. Pourquoi je suis là, avec elles ?! Je perds mon temps. J'ai l'impression de ne plus me reconnaître. Je fais n'importe quoi. Tout ça, pour ne pas avoir à pardonner à Émy.

C'est ridicule.
Je SUIS ridicule !

Sans ajouter quoi que ce soit, je les plante là et m'éloigne de ces deux pestes. Noémie prend quelques secondes avant de me suivre. Elle me rattrape en courant et ralentit ensuite le pas pour marcher à mes côtés, en silence. Au bout d'une éternité, elle murmure :

— Désolée... Je ne pensais pas que ça allait virer comme ça.

— On dirait que tu n'as pas pensé du tout, en fait !

— Pour être franche, je voulais juste vous faire rire. Je n'aurais jamais imaginé que Jordane allait être d'accord pour... En tout cas.

— Pourquoi tu l'as invitée, d'abord ! Tu le sais que je ne la porte pas dans mon cœur, cette fille ?!

— Ben... j'ai songé que ça ferait ton affaire, parce qu'elle ne s'entend pas avec Émy. Et que ton but, c'était de la faire suer le plus possible.

Je ne réponds pas à ça. C'était peut-être vrai au début, mais plus maintenant. Je ne veux plus faire de peine à mon ancienne BFF. Pas délibérément, du moins. Nous marchons pendant plusieurs minutes, avant que le cellulaire de Noémie bipe. Elle y jette un œil et fait aussitôt claquer sa langue. Je le regarde à mon tour, et elle en profite pour me montrer ce qui la dérange tant.

C'est Jordane. Elle vient de nous taguer dans une publication, où elle a pris la peine d'inscrire :

> #VolÀLétalageRaté
>
> #NoémieEtNadeigeComplicesDuCrime
>
> #LaProchaineFoisSeraLaBonne
>
> #OnSamuseCommeOnPeutAuQuébec

Argh! Non mais, elle n'arrête jamais, celle-là! En plus, elle se vante d'avoir essayé de voler dans un magasin sur les réseaux sociaux! Quelle idiote!

Dire qu'Émy va voir ça…

Et Sasha.

Peut-être aussi son père!

Ce qui veut dire que mes parents risquent de tout apprendre!!!

Pas le choix… J'imagine que je devrai leur en parler avant que l'info leur parvienne un peu tout croche. En approchant de chez moi, je salue à peine Noémie, qui continue son chemin, et je tourne dans mon allée.

Je prends une bonne inspiration, question de me donner du courage.

Émy, je voulais juste te dire que même si tu as vu une photo de moi ou des *hashtags* avec Jordane et Noémie, ce n'est pas ce que tu crois.

Ben oui, c'est ça!

Tu es prête à faire toutes les bêtises du monde avec Noémie, mais tu refuses de me pardonner une petite gaffe de rien du tout? 😠

Un vol à l'étalage! Franchement, Nadeige! Je te croyais plus brillante que ça!

Non, ce n'est pas ce qui s'est passé.

Ouais, me semble!

Je te le répète: Jordane n'est pas et ne sera JAMAIS mon amie! Voyons, tu me connais mieux que ça!

Ah oui? Je te connais? Vraiment? Parce que j'ai l'impression de discuter avec une inconnue, en ce moment.

Argh! C'est compliqué. C'est la faute de la greluche, aussi!

C'est ça, continue de tout mettre sur le dos des autres.

Tu peux bien parler, Émy-Lee Samson! «Ce n'est pas ma faute, j'ai juste voulu aider Sasha!»

Ça te dit quelque chose?

Comment tu peux comparer ces deux situations?

Je ne compare rien du tout. Je fais juste te dire que Jordane, c'est la pire garce au monde!

Pour ça, je suis d'accord avec toi.

Faut que je te laisse. Le souper est prêt. Déjà que je suis arrivée en retard à la maison à cause de... En tout cas. J'y vais.

Je risque d'être punie pour la semaine.
Rien de nouveau sous le soleil, quoi…

Ouais, pour faire changement…

12

ÉMY-LEE

Des fois, je me demande pourquoi je m'en-tête à essayer de récupérer Nad.

Ça ne mène à rien, tout ça. À rien de rien ! Notre dernière conversation prouve bien qu'elle n'est pas prête à passer l'éponge. Au contraire ! Elle a trouvé le moyen parfait de s'éloigner de moi : se lier d'amitié avec les deux pires pestes de la Terre (Jordane et Greluche !).

En même temps, je ne vois pas pourquoi ça me surprend : Nad est la championne des championnes pour se placer dans des situations embarrassantes. Je me demande comment elle a réussi à m'endurer toutes ces années…

Moi, Émy-Lee Samson.

☑ La fille sage et responsable.

☑ La fille sans saveur.

☑ La fille déprimante qui collectionne les phobies et les malaises.

Ouais, c'est moi, ça… Et vous savez quoi? Ça ne changera pas! Si Nad juge que je ne suis plus assez passionnante (ni assez cool) pour être son amie, c'est tant pis pour elle! J'ai déjà essayé de créer une version améliorée de moi-même, il y a quelque temps… et ça n'a pas marché. Je dirais même que ça a été un désastre. Voilà ce que je compte faire: je vais me trouver une nouvelle BFF, moi aussi. C'est aussi simple que ça!

Satisfaite de ma décision, je me rends dans le salon pour voir ce que font les autres. J'ai passé la majorité de la soirée dans ma chambre, alors il serait peut-être temps d'en sortir, question que papa et maman ne s'inquiètent pas trop. La télé est allumée et les parents écoutent une émission avec Liam. Un peu plus loin, Jackson et Noah discutent à voix basse. Les regards se tournent vers moi dès que je pose le pied dans la pièce, comme si on s'attendait à ce que je pique une crise ou m'effondre sur place. Je comprends à l'expression sur le visage de maman qu'elle s'apprête à me questionner sur mon état physique et mental. Je ne lui laisse pas le temps d'ouvrir la bouche.

— Quelqu'un a envie de jouer aux cartes?

— Moi! s'écrie Liam avec enthousiasme.

— Mais non, mon loup, intervient aussitôt papa. Tu t'en vas au lit dans cinq minutes.

Je lance à mon frère un sourire navré et me tourne vers les jumeaux :

— Les gars ?

— Bah, je n'ai pas trop le goût, marmonne Noah en haussant les épaules.

— Et toi, Jackson ?

— As-tu un jeu en braille ? demande-t-il, même s'il connaît très bien la réponse à sa question.

— Non…

— Alors, ça risque d'être compliqué.

Je pousse un soupir et fais demi-tour, exaspérée. J'étais bien mieux dans ma chambre, finalement. Je me laisse tomber sur mon lit, les bras en croix, et ferme les yeux, frustrée. J'en profite pour dresser une liste mentale des candidates potentielles au rôle de ma nouvelle BFF. Qui ça pourrait être ?

Delphine ? Non… Elle est gentille, mais c'est Nadeige qu'elle préfère. Elles se sont toujours bien entendues toutes les deux. Ma nouvelle *best* ne peut pas être amie avec mon ancienne *best*. Ce serait trop bizarre.

Julianne ? Hum… Pourquoi pas ? On a plein de points en commun : on aime la course à pied, on… euh… Ouin, il faudrait que j'en apprenne un peu plus à son sujet avant d'envisager de la choisir.

Ensuite?

Les idées me manquent… J'ai beau songer à toutes les filles de l'école (de ma classe, mettons), aucune ne me convient.

Pourquoi pas un garçon?

Ah, mais oui! Pourquoi pas?

Ça augmente les possibilités de façon incroyable. Plein de noms me viennent en tête: Talbot (oups, non… pas après la scène que je lui ai faite aujourd'hui), Olivier (encore moins!), Sasha (hum, ce serait chercher le trouble!), Noah (il retourne chez lui dans trois semaines), Jackson (même raison) et… et qui?

Torbinouche! Ma liste d'amis s'arrête vraiment là?

Je m'apprête à fouiller dans mes contacts quand on frappe à ma porte. Je parie que c'est maman. En temps normal, je l'accueillerais avec gentillesse (je suis comme ça, moi, je suis aimable et polie…), mais je suis trop maussade pour avoir envie de discuter.

— Je veux être toute seule.

— J'ai promis de t'aider, répond la voix de Noah, du corridor. Je peux venir?

— Mmmouais.

Il entre dans ma chambre avec une feuille à la main. Je relève la tête, curieuse, et lui fais signe de s'asseoir sur le bout de mon lit.

— Voilà, annonce-t-il en souriant. J'ai fait quelques recherches en revenant de l'école, tout à l'heure. Il existe des tas d'articles qui donnent des conseils pour aider les gens à se réconcilier avec leurs amis.

— Tu perds ton temps… Nad et moi, c'est voué à l'échec.

— Je ne crois pas, non. Vous êtes des *best* depuis toujours. Vous avez clairement besoin l'une de l'autre.

— Il faut lui dire ça à elle, pas à moi…

— Regarde.

Noah me tend la feuille, qui contient une liste plutôt bien garnie. Je prends le temps de la lire en entier et de considérer chacun des points qui y sont inscrits. Puis, j'y ajoute mes notes personnelles. Plus j'écris, plus je sens la colère monter en moi.

1.

La première chose à faire est de présenter vos excuses à la personne concernée (et elles doivent être sincères, si possible).

C'est déjà fait !
J'ai mis ma fierté de côté et j'ai admis mes torts. Je SAIS que j'ai mal agi, et je lui ai demandé pardon pour ça. Nadeige me les a renvoyées à la figure, mes excuses !

J'ai tenté de le faire. Plusieurs fois, même ! Nadeige ne veut pas en entendre parler. Elle a été très claire à ce sujet.

2.

Expliquez les raisons qui vous ont poussé à vous comporter de la sorte.

3.

Exprimez votre tristesse, mettez des mots sur les émotions qui vous rongent.

Et blablabla...
Comme si je n'avais pas déjà essayé ! Tous ces conseils ne me servent absolument à rien !

J'ai mis des HEURES à lui fabriquer des messages de Saint-Valentin et elle n'en a pas fait mention UNE SEULE FOIS. Je parie même qu'elle les a jetés à la poubelle !

4.

Faites-lui des cadeaux, multipliez les occasions de lui faire plaisir. C'est une belle façon de lui montrer que vous êtes réellement désolé.

5.

Laissez le temps faire son œuvre. Rien ne sert de brusquer les choses. L'autre n'a pas à vous pardonner sur-le-champ, respectez son besoin de prendre du recul pour réfléchir. En attendant, faites preuve d'une conduite irréprochable.

Une conduite irréprochable, hein ? Pff !

Je chiffonne la feuille et la lance à la figure de Noah, qui me regarde sans trop comprendre. Il la déplie et lit chacun de mes commentaires en poussant des soupirs de découragement.

— Émy-Lee…

— QUOI ?

— J'essaie juste de t'aider, moi.

— JE LE SAIS !

— OK. Si tu continues à me crier dessus, je m'en vais.

— BEN C'EST ÇA ! TU PEUX… ARGHHH !

Je ravale ma réplique et serre les poings pour empêcher mes paroles de dépasser ma pensée. Noah est super gentil, je n'ai pas à le traiter de cette façon. Je secoue la tête de gauche à droite pour tenter de retrouver mes esprits. Pendant ce temps, il se lève et marche dans ma chambre, comme s'il avait espoir de trouver une solution miracle. En posant les yeux sur ma table de travail (et sur tout le matériel qui y traîne), il me demande :

— Tu voulais lui fabriquer un bouquet de fleurs ?

— Oui. C'est stupide, je sais, mais je me suis dit qu'en voyant tous les efforts que je déployais, elle finirait peut-être par m'accorder une deuxième chance.

Noah regarde avec attention les articles que je me suis procurés à la boutique d'artisanat. Des pierres, de la colle, des rubans, du papier à motifs... Il prend une pierre entre ses doigts, la lève pour l'examiner à la lumière, et approuve d'un hochement de tête.

— C'est une excellente idée, dit-il enfin. Tu pourrais aussi écrire des messages sur les feuilles avant de les plier. Chaque fleur serait une surprise unique à déballer.

Hum... Ce n'est pas complètement idiot. En fait, c'est vraiment chouette comme concept ! Je ne me prépare pas à fabriquer un bouquet de fleurs quétaine avec du carton de construction et des cure-pipes multicolores... Non, on parle d'un truc de qualité, ici, avec du matériel d'artiste et une petite touche personnelle. J'adore ! Et je vais même en profiter pour appliquer les différents conseils de sa fameuse liste dans mes messages : des excuses, des explications et des confessions. Encore !

Animée par une nouvelle énergie (et par l'espoir d'avoir ENFIN trouvé la solution miracle), je mets de côté mon projet de me chercher une autre BFF (je garde quand même cette option en réserve, juste au cas) et je m'installe à mon bureau pour travailler. Pendant ce temps, Noah suit chacun de mes gestes.

— Tu veux que je t'aide ?

— Merci, ça va aller.

— OK. Tu préfères que je m'en aille ?

— Non, non. Tu peux rester.

Je tourne la tête dans sa direction et lui fais un clin d'œil. Je me vois mal lui demander de quitter la pièce alors qu'il vient peut-être de trouver le moyen de nous réconcilier, ma *best* et moi.

J'en suis à ma huitième fleur (la plus réussie d'entre toutes !) lorsque mon téléphone se met à vibrer. J'étire le cou et lève les yeux au ciel en voyant apparaître le nom de Talbot. Les premières lignes s'affichent en bandeau sur mon écran sans que j'aie besoin d'ouvrir ma messagerie.

Salut, Émy-Lee.

Ne t'en fais pas, je ne te dérangerai pas longtemps.

Je voulais juste te dire que j'ai compris. Je te laisse tranquille à partir de maintenant.

Noah se racle la gorge, visiblement mal à l'aise.

— Tu ne réponds pas ?

— Je suis occupée, dis-je en pressant mes pouces sur ma fleur pour lui donner sa forme.

— Je pense que c'est important, insiste Noah. Je devrais peut-être m'en aller.

Je fais signe à mon ami de rester et m'empare de mon téléphone pour lire la suite des messages de Talbot.

Je ne voulais pas te faire de peine, tu sais. C'est juste que je t'aime bien, toi. Tu n'es pas comme les autres filles.

Tu es douce, accueillante et compréhensive. Tu es probablement la seule personne qui ne me traite pas avec mépris dans cette école.

Quoique… Ce n'est plus
vraiment le cas, désormais.

Ta petite scène d'aujourd'hui m'a fait
réaliser que je me suis trompé à ton sujet.

Alors voilà. C'est tout ce que j'avais à
dire. Je te libère. Tu peux aller à la soirée
de la Saint-Valentin avec qui tu veux.

À un de ces jours.

Ben… probablement à demain, puisqu'on
risque de se croiser dans les cours…
Mais tu n'es pas obligée de me saluer.
Et si tu préfères, je ne te saluerai
pas non plus. C'est à toi de voir.

Si tu me salues, alors je saurai que tu
acceptes que je te salue en retour. Si tu
ne me salues pas, eh bien, je comprendrai
que tu ne veux pas que je te salue.

Bref… J'imagine que tu as saisi. Bye !

P.S. Je t'avais acheté une poupée
de la fée tisserande en cadeau…

— Tout va bien ? demande Noah d'un ton inquiet.

— Oui, oui… Une minute.

Je relis les messages de Talbot plusieurs fois, la gorge serrée. Une partie de moi est contente de s'être débarrassée de lui (non mais, quelle tache, celui-là, quand il s'y met!), et une autre partie, bien plus importante, me crie à quel point je suis égoïste, méchante et sans cœur. Qu'est-ce qui m'a pris de le traiter ainsi ? Talbot a toujours été si gentil! Intense, j'en conviens, mais tout de même gentil. Il m'a même acheté une poupée de la fée tisserande !

Qu'est-ce que c'est, au juste ?

Aucune idée! Je fais signe à Noah de patienter encore une minute et tape sur mon téléphone « poupée de la fée tisserande ».

Un sourire apparaît sur mon visage lorsque je découvre la réponse à ma question. Il s'agit d'un symbole chinois, évidemment! La fée tisserande est le personnage d'une légende qui relate une histoire d'amour entre un homme et une fée. En plein le genre de cadeau que Talbot prend plaisir à m'offrir! Bon, j'avoue que je ne

sais pas trop ce que j'en aurais fait, de cette poupée, mais elle est plutôt jolie. Je l'aurais peut-
être installée sur la tablette au-dessus de mon
lit.

Qu'est-ce que je dois faire, maintenant? Lui écrire pour lui dire que je ne voulais pas lui faire de peine? Non… il pourrait penser que je tiens à lui autrement qu'en ami. M'excuser? Oui, pourquoi pas. Tant que je suis claire dans mes intentions, ça devrait aller. Je ferme les yeux un instant pour réfléchir à la meilleure formu-lation à utiliser quand mon téléphone émet un nouveau bip.

Cette fois, c'est Olivier. J'ouvre ma messa-gerie et laisse les phrases défiler.

Salut, Émy-Lee. J'espère que tu te sens mieux et que tu as repris des forces.

Je suis vraiment désolé que tu aies fait une crise de panique. Je me suis déjà évanoui une fois, c'est loin d'être agréable.

Je te connais bien, pourtant. Je sais que tu es fragile. J'aurais dû faire plus attention à toi.

Je regarde les mots d'Olivier défiler devant mes yeux et je me retiens pour ne pas lui répondre. Fragile, moi? C'est ainsi qu'il me voit? Je ne suis pas un bibelot, enfin! Et ça continue…

Ce n'est pas facile, ce que tu vis en ce moment. Sache que je serai toujours là pour toi. En ami, évidemment. Tu peux m'écrire ou m'appeler à n'importe quelle heure de la nuit, d'accord?

Je veux aussi te dire que je suis fier de toi. Ça prend du courage pour faire son *coming out* devant toute une classe. Je te lève mon chapeau.

Pardon?

J'avoue que j'ai été surpris, comme la majorité des élèves.

Surpris! Mais qu'est-ce qu'il s'imagine, au juste?

Surtout qu'on a vécu une très belle histoire d'amour, tous les deux.

Torbinouche!
Ne me dites pas que...

Tu as parfaitement le droit de préférer les filles. Tu garderas toujours une place importante dans mon cœur.

Torbinouche de torbinouche!

Pas de panique, Nad, mais j'ai peut-être fait une gaffe, aujourd'hui.

Tiens… tu n'es pas aussi parfaite que tu le croyais, finalement?

Je n'ai jamais dit que j'étais parfaite. Au contraire!

En criant après Talbot, j'ai peut-être… J'ai… Enfin…

Je ne sais pas comment dire ça.

Je me suis mal exprimée.

Viens-en au fait, stp, parce que j'ai autre chose à faire.

Olivier s'imagine que je suis amoureuse de toi. 😖

Hein?

Ben, pas juste Olivier, en fait. Pas mal toute l'école.

Attends… Tu veux dire qu'ils croient que nous sommes… OMG! Pas lui aussi! Pas eux aussi, je devrais dire!

Comment ça, LUI AUSSI?

Qu'est-ce que tu as fait?

Argh! Une niaiserie. Ben… c'est la prof de maths. Paquette. Elle n'a rien compris à ce que je lui ai dit, l'autre jour.

Euh… Moi non plus, je ne comprends rien. De quoi tu parles au juste?

Peu importe. Mais tu ferais mieux de régler ça vite, parce que je n'ai pas le goût que tout le monde s'imagine qu'on sort ensemble.

On n'est même plus amies, de toute façon! C'est ridicule!

Promis, je m'en occupe.

Parfait. Salut, je dois y aller.

13

NADEIGE

Bon. Il ne reste que trois jours avant la danse de la Saint-Valentin organisée par le collège. Hier, mes parents m'ont dit qu'après mes déboires au centre d'achats, ils n'étaient pas certains de vouloir me laisser y aller. Ce qui, je dois l'avouer, fait pas mal mon affaire.

Évidemment, je me suis un peu obstinée avec eux. Pour le principe. Je veux dire… Quand mes parents me punissent, je me dois de réagir. Sinon, ils vont croire que je me fiche de leur punition et ils décideront peut-être de m'en donner une plus grosse. Donc, je n'ai pas le choix d'avoir l'air fâchée.

> Je suis tout de même assez bonne là-dedans. Je n'ai aucun mérite : j'ai de l'expérience, il faut croire.

N'empêche que je dois encore me justifier auprès de Noémie, qui ne semble pas trouver ça drôle du tout. Elle me regarde, les yeux exorbités, de l'écume sur le bord des lèvres (j'exagère à peine), pendant que je lui annonce qu'il y a des risques que je ne l'accompagne pas à la danse. Je sens qu'elle va bientôt exploser…

— C'EST UNE BLAGUE, OU QUOI?!? hurle-t-elle dès que je cesse de parler.

Et c'est parti…

— TU NE PEUX PAS ME FAIRE ÇA! PAS À TROIS JOURS DE LA DANSE! QU'EST-CE QUE JE VAIS FAIRE, MOI?! JE N'AI MÊME PAS ENCORE DE CAVALIER, EN PLUS!!! ARGH!

— Du calme, Noémie. Tout le monde nous regarde, là…

En jetant un coup d'œil autour de nous, je constate qu'en effet les cris de la greluche ont attiré l'attention. Je lui tire le bras pour que nous allions dans un coin plus tranquille, mais elle enfonce ses talons dans le sol.

— Oh que non, Nadeige! Tu ne vas pas t'en tirer si facilement! Si tu veux vraiment être mon amie, il va falloir que tu respectes tes engagements!

— De quoi tu parles?! Je n'ai jamais promis de…

— FAUX! Tu devais m'aider à me trouver un cavalier! me coupe-t-elle d'une voix hystérique.

— Laisse-moi finir! Je t'ai écoutée quand tu as dit que tu voulais qu'Antony t'invite, c'est tout! PIS ARRÊTE DE CRIER! Tu me donnes mal aux oreilles!

Au lieu de me répondre, elle lâche un long cri, avant de taper du pied. Euh… sérieux?! Quel âge elle a, au juste? On croirait un enfant de cinq ans qui n'a pas le jouet qu'il désirait. Le hic, c'est que je NE SUIS PAS un jouet. J'ai le droit de refuser d'aller à une soirée.

Et de toute manière, dans le cas présent, ce n'est même pas un choix. Mes parents risquent de m'en empêcher, alors je ne vois pas pourquoi elle panique autant. Au pire, qu'elle y aille avec ses amies! Je ne suis pas la seule personne au monde, que je sache! Qu'est-ce qu'elle faisait, avant que je commence à me tenir avec elle?

Je n'ai pas le temps de lui faire part de mes réflexions qu'elle s'éloigne déjà, en continuant de rager tout haut. Je secoue la tête, plutôt découragée par son attitude, mais je ne m'en fais pas trop. Elle devrait rapidement revenir à la raison. Et si ce n'est pas le cas, eh bien… peu importe. Elle sera frustrée, et c'est tout. Je ne vais pas commencer à me stresser à cause des humeurs de la greluche, quand même!

J'ai d'autres problèmes à régler pour le moment. C'est que, durant la première période de la journée, j'ai reçu un cadeau (*totalement non désiré*) de la part de l'ange Lauralie. Elle faisait la distribution des cartes de la Saint-Valentin dans les classes. Quand elle m'a nommée, j'ai froncé les sourcils, ne comprenant pas qui pouvait bien m'avoir envoyé un poème (*parce que c'est ce que contenait la lettre; un poème tout ce qu'il y a de plus quétaine!*).

J'ai tourné la feuille dans tous les sens pour trouver la signature, mais il n'y en avait pas. J'allais en faire une belle boule pour la jeter dans les poubelles, quand la fille à ma droite m'a demandé à voix basse si ça provenait de mon amoureuse. D'Émy, quoi!

Encore cette rumeur ridicule…

N'empêche que je dois absolument aller vérifier si c'est le cas. Émy doit comprendre qu'elle ne peut pas m'envoyer des trucs de ce genre-là! On passe pour des amoureuses, maintenant!

J'oublie donc Noémie et sa crise de bébé, et je me dirige d'un bon pas vers la section du collège où se tiennent les bollés. Autrement dit, l'endroit où Émy et ceux qui sont en classe avancée passent leurs périodes libres. Comme c'est à l'autre bout du collège, ça va me prendre presque cinq minutes pour m'y rendre. Déjà que Noémie m'en a fait perdre trois, avec sa frustration. Il ne m'en reste donc qu'une dizaine pour aller voir ce qu'il en est avant que la cloche sonne.

Cinq minutes plus tard, je pénètre dans l'aire commune et repère immédiatement les jumeaux qui logent chez mon ancienne BFF. Ils sont assez grands et plutôt mignons (je *dois bien l'avouer*), alors c'est facile de les remarquer. Émy est assise entre eux deux et paraît si petite que c'est à peine si je l'aperçois. J'hésite, car j'ai quasiment peur qu'une surveillante me dise que je n'ai pas le droit d'être là. Je ne connais personne et je ne me sens pas du tout à ma place. Mais Émy, oui.

Je la vois rire d'une blague faite par son voisin de droite. Puis, elle lance quelque chose à son tour et, cette fois, ce sont ses amis qui éclatent de rire. Ça me fait un petit pincement au ventre.

Pourquoi je ne suis pas bonne à l'école, hein ? Si ça avait été le cas, peut-être que moi aussi, je serais allée en Alberta avec mon ancienne BFF. Et peut-être qu'on aurait évité tout ce gâchis. Je serais assise avec elle en ce moment.

> Et ce serait moi qui rirais de ses blagues.

Un soupir plus tard, je me décide à avancer. Je ne vais quand même pas demeurer sur place pendant les dix minutes qu'il reste avant que les cours reprennent! Je m'approche de sa table et m'arrête à quelques pas derrière elle. Je me racle ensuite la gorge. Une fois. Deux fois. Trois fois. Voyons!

— Euh... Émy? dis-je finalement.

Elle se retourne d'un coup sec, les yeux ronds.

— Nad? Mais... euh... qu'est-ce que...? bredouille-t-elle, sans comprendre la raison de ma présence.

— Salut. Je... je voulais savoir si... euh... si ça venait de toi?

Un peu plus et je pourrais voir les points d'interrogation dans ses yeux. Je reprends, pour être plus claire:

— Le poème. C'est toi qui l'as écrit?

— Le po… ? Désolée, je ne sais pas du tout de quoi tu parles ! Mais… tu aurais très bien pu me texter. Tu risques d'être en retard à ton cours, là. Ce n'est pas bien brillant !

— Arrête, Émy. Ça ne te regarde plus, ça, de toute façon.

Ma remarque lui fait serrer les poings, mais elle se retient de répliquer. Je jette alors un œil dans l'aire commune. Je constate que plusieurs têtes sont tournées dans notre direction. Ça murmure. Ça ricane tout bas.

La rumeur de notre supposée amourette est en train de se propager. Et ça me met dans une colère noire. Non mais, ils n'ont rien de mieux à faire, ces gens, que de se mêler de la vie des autres ?! Émy suit mon regard. Enfin, elle semble comprendre que nous sommes le centre de l'attention, car elle saute sur ses pieds, nerveuse, et me propose :

— Viens, on va aller discuter ailleurs.

— Pour qu'ils se fassent encore plus de scénarios ? Non merci.

— Nad, je m'excuse, je ne voulais pas…

— Arrête de t'excuser. Ça commence à ne plus rien vouloir dire, tellement tu le fais souvent !

Et là-dessus, je tourne les talons. Je me doute bien que ça donnera de quoi jaser aux autres, mais je m'en fiche. Ils s'imaginent déjà des trucs ridicules. Je m'éloigne à grands pas, mais je suis interrompue par nul autre que Sasha, qui surgit du corridor. Il semble surpris de me voir là, mais son expression change aussitôt.

— Nadeige... Justement, je voulais te parler.

— Pas le temps.

Je le contourne pour continuer mon chemin, mais il se dépêche de me suivre et marche à ma droite.

— Pour vrai, Nadeige, je veux vraiment te dire des trucs. Tu n'as rien voulu entendre, depuis mon retour, et...

— Et tu t'es dit que si tu me suivais, je n'aurais pas bien le choix de t'écouter?

— Ce que tu es têtue! Je n'ai rien fait de mal! Ce n'est pas juste, ce que tu fais...

Cette fois, je ne peux m'empêcher de freiner sec pour le regarder en pleine face. A-t-il vraiment dit qu'il n'avait rien fait de mal? Non! Je n'ai pas dû bien comprendre, c'est forcé!

— Alors le baiser avec Émy, ce n'est jamais arrivé, peut-être?

Sasha se rapproche pour ne pas être entendu par les curieux et pince les lèvres, avant de répliquer :

— Si, c'est arrivé. Mais je te rappelle qu'on ne sortait pas ensemble, toi et moi. Je ne t'ai pas trompée, malgré ce que tu as l'air de penser. En plus, Émy et moi, on jouait la comédie. Ça ne voulait rien dire. Et puis… ce n'était qu'un baiser, quand même. Pas de quoi faire un drame !

Je hausse les sourcils, avant de rétorquer :

— Alors pour toi, un baiser, ça ne signifie rien ?

Au-dessus de notre tête, la cloche annonçant le début des cours vient de retentir. Les élèves commencent à circuler dans le couloir tout autour de nous. Pour que personne ne nous heurte, Sasha me tire vers le mur, puis me protège de son épaule. Nous sommes très près l'un de l'autre, ce qui lui permet de murmurer à mon oreille, tout bas :

— Ça signifie quelque chose seulement quand il vient de toi.

Je relève la tête. Nous nous fixons quelques instants, sans bouger. Puis, il baisse les yeux vers mes lèvres. Et il se penche. Personne ne peut voir ce que nous faisons, car il me cache à demi.

Sa bouche se pose sur la mienne. Oh, pas longtemps. Juste assez pour me rappeler ce que nous avons déjà été, lui et moi. Juste assez pour me faire ressentir des centaines de frissons sur tout le corps.

Sauf que je dois me ressaisir. Et c'est pourquoi je le repousse, après de trop longues secondes, la respiration haletante. Il s'éloigne à peine, pour continuer de me regarder. Alors pour lui faire enfin comprendre le message, je lui souffle :

— Eh bien, pour moi, ils ne veulent plus rien dire, tes baisers.

Ses yeux se voilent. Je le sens se raidir. Mais avant qu'il ait pu rétorquer quoi que ce soit, la voix du directeur nous fait sursauter. Sasha pivote pour faire face à son père, tandis que moi, je reste cachée derrière lui.

— Je peux savoir ce que tu fabriques là, Sasha ?! Avec… avec Nadeige, en plus ! ajoute monsieur Lenoir lorsqu'il m'aperçoit enfin, après s'être rapproché.

— P'pa, ce n'est pas ce que…

— Ici, c'est MONSIEUR Lenoir ! le coupe le directeur d'un ton ferme. Et je suis désolé, mais les cours vont commencer et vous traînez encore dans le corridor. Je n'ai pas le choix, je dois vous amener à mon bureau. Il vous faut un mot de retard.

— P'pa... monsieur Lenoir, la deuxième cloche n'a même pas sonné, argumente Sasha.

— Je doute que vous ayez le temps d'arriver à vos locaux avant le début des cours. Et de toute façon, je veux vous parler. À tous les deux !

Il nous fait signe de le suivre, et nous nous exécutons sans trop rechigner. Sasha ne semble pas très content, mais, pour ma part, je m'en moque un peu. Ce n'est pas comme si j'étais très attentive en classe. Alors que je sois sagement assise à mon pupitre ou pas, ça ne change pas grand-chose...

Ah... je sais, je ne devrais pas penser de cette manière. L'école, c'est super important. Émy me le répète assez souvent.

Elle me le répétait souvent, devrais-je dire...

La seconde cloche a déjà sonné quand nous prenons place devant monsieur Lenoir dans son bureau. Il nous regarde d'un air sévère. Il passe de l'un à l'autre, en soupirant. Fort. Et longuement. Ça me rend un brin nerveuse. En fait, ça me tape tellement sur les nerfs que je finis par exploser :

— OK, vous nous le donnez, notre billet de retard ?! Je devrais être en français, là, et la prof va m'attendre ! J'ai déjà assez de difficulté comme ça !

— Nadeige ! lance monsieur Lenoir en levant la main pour me faire taire. Laisse-moi réfléchir. Je ne voudrais pas que mes mots dépassent ma pensée…

Il ferme les paupières, puis inspire un bon coup. Pendant ce temps, je jette un coup d'œil à Sasha, qui hausse les épaules en me regardant. Il n'a pas dû voir son père très souvent dans cet état. Finalement, ce dernier rouvre les yeux, pour déclarer :

— Tu ne trouves pas que tu exagères, Sasha ?

Le visage du principal intéressé, assis à côté de moi, s'allonge de plusieurs centimètres.

— Qu… quoi ?

— Avant ton voyage, tu sortais avec Nadeige. Puis, tu embrasses Émy-Lee en Alberta. Depuis ton retour, tu es constamment avec Jordane, et là… là, je te surprends à embrasser de nouveau Nadeige ! Ce n'est pas comme ça que je t'ai… que nous t'avons… Bref, ce n'est pas une façon d'agir pour un jeune homme!

Lentement, je pivote vers Sasha, pour voir comment il va se sortir de cette attaque en règle. Un sourire narquois au coin des lèvres, je le regarde se défendre comme il le peut.

— Je n'ai pas… ce n'est pas… voyons, j'ai… Nadeige, ne crois pas que… Argh, p'paaa!

Je croise les bras et j'attends la suite de cette incroyable tirade. Sasha, pour sa part, reprend sa respiration, puis recommence:

— Il n'y a eu que Nadeige! Pour Émy… ce n'est pas du tout ce que tu penses. Et Jordane, c'est ELLE qui me suit partout!

— Peu importe, je ne veux pas que tu te justifies, intervient le directeur en indiquant la porte à son fils. Nous continuerons cette conversation à la maison. Va voir ma secrétaire en sortant, elle va te donner un billet de retard.

Et il pointe la porte à Sasha, sans plus de ménagement.

— Et moi, je peux… ?

— Un instant, Nadeige, j'aurais quelque chose à te dire, mentionne monsieur Lenoir, sans cesser de montrer la sortie à Sasha du menton.

Ce dernier s'exécute, non sans me murmurer avant de partir qu'on doit vraaaiment se reparler de tout ça. Je l'ignore, en attendant que le directeur me dise pourquoi il veut me garder encore dans son bureau.

Dès que nous sommes seuls, celui-ci étire le cou pour s'assurer que Sasha ne peut nous entendre, avant de me glisser à voix basse :

— Nadeige… euh… j'aurais un service à te demander.

— Si c'est pour le changement d'uniforme, je sais, je ne me suis pas beaucoup investie dans le dossier, ces temps-ci, mais c'est parce que…

— Rien à voir, me coupe le directeur en relevant la main pour me faire taire.

Je hausse un sourcil, surprise, alors qu'il reprend :

— Ça concerne mon fils. Sasha. Enfin… tu sais qui est mon fils, évidemment. Bref, j'aurais besoin que… que tu m'aides.

— Que je vous aide ?

— Oui. Je… je suis un peu mal à l'aise de te dire ça, mais… Jordane, la jeune fille qui habite chez nous, pour l'échange, je… je ne veux pas parler contre elle, mais… mais je préférerais qu'il ne se passe rien entre elle et Sasha, vois-tu, avoue-t-il, l'air légèrement démuni.

— Mais… vous voulez que je fasse quoi, au juste ?

Il se penche vers moi, hésite un peu, puis murmure :

— Toi qui es déjà sortie avec lui… tu pourrais, je ne sais pas… l'inviter à la danse de ce vendredi, par exemple ! Comme ça, Jordane comprendrait qu'il n'est pas disponible…

— C'est que… mes parents m'ont punie, et je n'ai pas le droit d'y aller…

Il balaie l'air de la main, en retrouvant son aplomb, pour lâcher :

— Ne t'en fais pas. Je vais leur parler. Bon, alors tu es d'accord ?

Difficile de lui dire non.

Comme si j'avais besoin de ça…

Nad? Sasha vient de m'écrire.

Vous allez à la danse ensemble?

Wow! Je suis trop
contente pour vous deux!

Ne t'emballe pas trop. Ça
ne veut rien dire du tout.

Oui, je me doutais que tu répondrais
ça. N'empêche que c'est un pas dans la
bonne direction, si tu lui as pardonné.

Je ne lui ai rien pardonné! Tu ne
comprends pas, je n'ai pas eu le choix.

Mais oui… Comme si on pouvait te forcer
quand tu ne veux pas faire quelque chose!

De toute façon, ça ne change rien
au fait que je suis fière de toi.

Je n'ai pas le temps de t'écrire. Je dois
faire mes devoirs. Je suis tellement
en retard, tu n'as pas idée…

C'est vrai?! Tu veux que je t'aide?

Émy… arrête. Je vais me débrouiller toute seule.

Je te laisse.

14

ÉMY-LEE

Voilà, on y est. Le soir que TOUT le monde attendait avec impatience est enfin arrivé.

> Oui, bon... Tout le monde SAUF MOI, j'avoue...

On n'entendait parler que de ça à l'école aujourd'hui. Saint-Valentin par-ci, Saint-Valentin par-là! Lauralie a eu tellement de courrier à distribuer qu'elle a raté la moitié de son cours de français pour compléter sa tournée. Et d'après ce que j'ai compris, la plupart des messages étaient en fait des demandes de dernière minute concernant la danse de ce soir.

La danse... Pff! Comme si j'allais me donner le trouble de me rendre là-bas. Seule. Sans cavalier. Sans amis.

↳ Sasha et Nadeige y vont ensemble.

↳ Noah et Ellie y vont ensemble.

↳ Jackson et Mélodie y vont ensemble.

Talbot et Olivier ? Aucune idée, mais ils ne font plus partie de l'équation, c'est évident. En même temps, ce n'est pas comme si j'avais vraiment envie de me lever. Je suis bien, là, confortablement encastrée dans le canapé du salon, avec ma couverture de laine et mon téléphone. J'ai tout pour être heureuse !

— Je croyais que la soirée commençait à huit heures, me dit maman en entrant dans le salon, un panier à linge sous le bras.

— Exact.

— Tu comptes y aller en pyjama ?

— Non, je reste ici, en fin de compte, lui dis-je distraitement.

Les yeux rivés sur mon téléphone, je bouge mes doigts pour tenter de réussir le prochain niveau de mon jeu. Ça a l'air facile, comme ça, mais c'est plus compliqué qu'il n'y paraît. Je dois faire rebondir une petite boule sur différentes plateformes de manière à les détruire sans tomber dans le vide. Oh ! J'ai failli percuter une étoile ! Une chance que mes réflexes sont aiguisés, sinon je serais morte, c'est clair ! Les étoiles, ça ne pardonne pas. Encore quelques secondes à tenir... Je m'en sors plutôt bien... Trois, deux, un...

— Réussi !

Je serre le poing en signe de victoire et m'apprête à poursuivre le jeu lorsque maman se racle la gorge de façon beaucoup trop bruyante pour que ce soit naturel.

— Hum! Hum!

Je plonge une main dans le bol de chips qui accompagne si bien ma soirée et lui demande, la bouche pleine :

— Que'chque choje ne va pas?

— Je crois que c'est à moi de te poser cette question, répond-elle en mettant une pile de vêtements sur la table de salon pour les plier.

— Tout est OK pour moi, dis-je en retournant à mon jeu.

— Émy-Lee…

— Quoi?

— Lâche ton téléphone et écoute-moi.

— Je n'ai pas besoin de lâcher mon téléphone pour t'écouter. J'arrive très bien à faire les deux en même temps.

Tiens, je pourrais sélectionner une nouvelle couleur pour le tableau suivant. Rouge? Bleu? Vert? Allons-y pour le jaune! Alors que je m'apprête à démarrer, maman me lance une remarque qui m'atteint de plein fouet.

— Je croirais entendre Nadeige…

Cette fois, elle a toute mon attention. Je quitte mon téléphone des yeux et lui demande, incrédule :

— Pardon ?

— J'ai l'impression de me trouver en face de Nadeige quand tu t'exprimes de cette façon, Émy-Lee, explique-t-elle en déposant un jeans sur la pile de vêtements des jumeaux. Ça ne te ressemble pas.

— Franchement ! Ça fait deux semaines qu'on ne se tient plus ensemble. Comment tu veux qu'elle déteigne sur moi ? Tu racontes n'importe quoi !

Maman penche la tête sur le côté, et je réalise… qu'elle a TOUT À FAIT raison. Torbinouche ! En plus d'être seule au monde, il faut que je sois désagréable ?

— Pourquoi tu n'irais pas à la fête, ma chouette ? me demande-t-elle avec douceur. Je vais reconduire Jackson et Noah dans une petite demi-heure. Tu as amplement le temps de te préparer.

— Je n'ai rien à me mettre.

— Ce n'est pas toi qui disais que c'était une soirée toute simple ?

— Je n'ai quand même rien à me mettre.

Voyant mon air boudeur, maman vient s'asseoir près de moi. Elle soulève la doudou qui couvre mes jambes et s'y glisse afin de m'offrir le plus beau des câlins. OK… J'avoue que ça fait du bien, mais je risque de pleurer si ça continue.

Heureusement, Noah fait son apparition juste à ce moment-là, ce qui me permet de me décoller un peu.

— Qu'est-ce que vous en pensez? demande-t-il en nous rejoignant avec deux morceaux de vêtements à la main. Mon chandail rouge ou ma chemise bleue?

— Fais voir.

— Chandail rouge, dit-il en le plaçant devant lui. Il est ordinaire, mais ça fait plus Saint-Valentin.

Je plisse le nez et lui fais signe que non.

— Chemise bleue, reprend-il en répétant le même mouvement.

Cette fois, je lève le pouce pour lui donner mon accord.

— Avec tes jeans.

— Super, merci. Tu ferais bien de t'habiller, toi aussi. On part bientôt.

— Je reste ici.

— Comment ça, tu restes ici? Tu ne peux pas faire ça, voyons! C'est la Saint-Valentin.

— C'est le seul argument que tu as trouvé pour me convaincre ?

— Il va y avoir plein de belles filles !

Je hausse les sourcils et pouffe de rire. Noah peut faire le bouffon s'il le veut, rien ne me fera changer d'idée.

— Laisse tomber, Noah, lui dit maman en quittant le canapé pour reprendre sa corvée de pliage. Ça fait mon affaire qu'Émy-Lee reste ici avec moi, au fond. Je pensais commencer à peinturer la grande salle du sous-sol. Elle va pouvoir me donner un coup de main.

Je tourne la tête pour voir si elle est sérieuse. Son sourire et son pouce levé dans ma direction me laissent croire que oui. Entre la peinture et une fête, je choisis la fête sans hésiter.

— C'est bon, je vais m'habiller…

✳✳✳

Quand on arrive dans le gymnase de l'école, une demi-heure plus tard, je sens un profond malaise s'emparer de moi. Je n'ai pas envie d'être là. Je n'ai pas envie de faire semblant de m'amuser parmi tous ces gens (et ces couples !) heureux. Et surtout, je n'ai pas envie de danser (alors que les jumeaux et leurs cavalières attendaient clairement ce moment avec impatience).

Pendant qu'ils s'activent sur la piste, je m'installe sagement à une table, l'air morose. Mes yeux détaillent la pièce. J'ai beau être de mauvaise humeur, je sais reconnaître le talent quand il se présente. Et la personne qui a décoré le gymnase a du goût. Tout est classe et bien dosé : les bouquets de ballons, les guirlandes lumineuses, les centres de table... on dirait l'œuvre d'un professionnel. Je suis en train d'inspecter le tissu de la nappe devant moi lorsqu'une voix m'interpelle :

— C'est pour moi ?

Je tourne la tête vers un garçon qui est dans mon cours d'anglais. Comment il s'appelle, déjà ? Rémi ? William ? Peu importe. Rémi-William me fait un clin d'œil et désigne le bouquet de fleurs que je tiens à la main. Celui que j'ai fabriqué pour Nad.

— Alors ? C'est pour moi ou non ?

— Non.

— C'est pour qui, dans ce cas ? demande-t-il en m'envoyant un autre clin d'œil.

My God ! Il devrait renouveler sa tactique de drague !

— C'est pour Nadeige. MON AMIE, dis-je bien fort, pour que ce soit clair.

— Ah oui, c'est vrai! Ton «amie», fait-il en mimant des guillemets. J'avais oublié. Bon ben, amuse-toi bien avec ton «amie». Elle est au buffet.

Rémi-William me fait un dernier clin d'œil (évidemment!) et tourne les talons, à mon grand soulagement. Pendant ce temps, mon regard bifurque vers le buffet. Je croyais y apercevoir Nad en compagnie de Sasha (elle m'a pourtant bien dit qu'elle l'accompagnait, non?), mais c'est plutôt Jordane et Noémie qui se tiennent à ses côtés.

Je suis déçue. L'idée de voir Nad et Sasha ensemble, c'est à peu près la seule chose qui m'a motivée à venir ici ce soir. Où est-ce qu'il est?

* Peut-être qu'il n'est pas encore arrivé.

* Peut-être qu'il est parti aux toilettes.

* Peut-être qu'il est en train de préparer un jeu pour animer la soirée.

* Peut-être que Nad l'a fait fuir comme elle a l'habitude de le faire…

Je secoue la tête pour chasser cette dernière idée de mon esprit et continue d'observer
mon amie. Elle se goinfre de chips, tandis que
Jordane et Noémie gesticulent à ses côtés. Elles
lui reprochent sûrement de trop manger (« Tu
veux grossir ou quoi ? »), de ne pas être assez
maquillée (« Tu n'as même pas mis de rouge à
lèvres ! ») ou de ne pas avoir choisi la bonne
couleur de vernis pour aller avec ses chaussures (« Le rose, c'est complètement dépassé,
voyons ! »).

Exaspérée par leur comportement désagréable (et inquiète des répercussions que cela
pourrait avoir sur Nad), je décide d'intervenir. Il est plus que temps que ce manège cesse !
Noémie va me la bousiller, si ça continue ! Et
Jordane… eh bien, Jordane n'est qu'une chipie
sans cervelle. C'est à cause d'elle qu'on est en
mauvais termes, Nadeige et moi. Si elle n'avait
pas essayé de lui voler son presque-chum, on
n'en serait pas là ! C'est ça ! Tout est sa faute ! Et
je vais lui dire ma façon de penser !

Je me dirige vers le buffet d'un pas rapide,
gonflée à bloc. Je lève un doigt en direction de
Jordane, qui me regarde avec des points d'interrogation dans les yeux, et…

Et ?

Je fige.

Je reste plantée là, le doigt toujours levé, et j'ouvre la bouche pour parler, mais aucun son n'en sort.

— Oui ? lance Jordane avec arrogance. Tu as quelque chose à dire ? Il faut des mots pour faire des phrases, tu sais.

— Je crois qu'elle a perdu sa langue, intervient la greluche en rigolant.

OK. On a clairement droit à la scène de film pathétique dans laquelle la pauvre fille coincée se fait clouer le bec par les nunuches de service. Je dois y mettre un terme au plus vite. En fait, je SAIS que je dois y mettre un terme, mais mon corps n'est pas de cet avis, lui. Mon cœur se défoule dans ma poitrine. Mes jambes tremblent de peur. Mes yeux cherchent une bouée à laquelle s'accrocher… et trouvent ceux de Nadeige.

Son regard croise le mien, puis se pose sur le bouquet de fleurs que je tiens à la main. Oui, je sais que c'est stupide d'avoir traîné ça ici, mais ce n'était pas calculé. C'est seulement au moment de quitter la maison, tout à l'heure, que j'ai compris que c'était la meilleure occasion de le lui offrir. Après, la Saint-Valentin serait passée, et mon cadeau perdrait tout son sens…

Maintenant que je suis là, figée devant les trois filles, je me dis que c'était probablement une très mauvaise idée, en fin de compte. Nad va certainement se mettre en colère.

Je prends une bonne inspiration, prête à entendre ses insultes. Mais à ma grande surprise, elle ne semble pas trop savoir comment réagir.

Je m'arme de courage et lui tends le bouquet, dans l'espoir qu'elle veuille bien l'accepter.

— Tiens, c'est pour toi. Je l'ai fait moi-même.

Nadeige observe son cadeau en silence, tout en grimaçant. Au moment où je me dis qu'elle va (peut-être) finir par le prendre, Jordane et la greluche éclatent de rire en même temps.

— Comme c'est chou ! lâche Jordane, assez fort pour attirer l'attention des gens qui nous entourent. Émy-Lee a fait un beau bricolage pour son amoureuse !

— Ce n'est pas mon amou…

— Tu permets que je le regarde de plus près ? demande Noémie en me l'arrachant des mains.

Nadeige tend un bras pour l'en empêcher, mais c'est trop tard. La greluche renifle les fleurs de papier et en retire une du bouquet pour la faire tourner entre ses doigts.

— On dirait qu'il y a des mots écrits sur les pétales, remarque Jordane.

— Oui, tu as raison, répond Noémie. Voyons ça…

La greluche laisse tomber mon bouquet au sol. Choquée, je me penche pour le ramasser, mais elle s'en fiche ! Elle est déjà en train de dérouler le papier de la fleur qu'elle tient entre ses mains.

— Arrête ça, Noémie, grogne Nadeige, qui se décide enfin à intervenir. Tu vois bien que ça n'intéresse personne !

— Au contraire, réplique-t-elle en levant le bout de papier dans les airs.

Elle se tourne vers les curieux qui se sont rassemblés autour de nous et leur demande, assez fort pour couvrir le bruit de la musique :

— Vous voulez savoir ce qui est écrit ?

— OUI !

Je n'arrive pas à croire qu'elle va étaler ma vie privée devant tout le monde ! C'est tellement méchant ! Et gratuit ! Et ridicule ! Non mais, c'est vrai ! Pourquoi chercher à faire du mal de cette façon ? Pour s'amuser ? Pour venger Jordane? Ou simplement pour tenter de m'atteindre…

Oui, c'est sûrement ça…

Elle pense qu'en me rabaissant ainsi, elle va s'attirer la sympathie des autres élèves. Si c'est comme ça que ça marche, je peux très bien jouer à ce petit jeu, moi aussi.

Au moment où Noémie s'éclaircit la voix pour commencer sa lecture, je fais un pas vers l'avant et m'adresse à Jordane avec un peu plus d'assurance :

— Comment ça va, Sasha et toi?

— Hein? demande la principale intéressée. Pourquoi tu veux savoir ça?

— Pour rien… Je suis seulement curieuse. Tu es tellement amoureuse de lui, je suis sûre que vous filez le parfait bonheur. Ça fait combien de temps que vous sortez ensemble, au juste?

— Je… ben… on ne sort pas vraiment ensemble…

— Pas «vraiment»? Comment ça? Vous êtes un couple ou pas? Il est où, d'ailleurs? Je pensais qu'il serait venu à la fête avec toi.

Jordane croise les bras d'un air renfrogné. Je peux voir ses joues s'empourprer, malgré les lumières tamisées. J'arrache la fleur des mains de Noémie et la remets à Nadeige, en même temps que le reste du bouquet. Je ne suis pas certaine, mais on dirait qu'un éclat de fierté brille dans ses yeux.

— Sasha t'aime, Nad, lui dis-je, sans détourner le regard. Et je sais que tu l'aimes aussi. Ne gâche pas tout, d'accord ? Ça va déjà mal entre nous, pas la peine de le repousser.

Je lui fais un sourire et tourne les talons, satisfaite.

Où t'es partie, Émy?

Émy, ce n'est pas drôle.

Je voulais te parler, mais tu n'es nulle part.

En plus, je ne sais pas trop quoi faire avec tes fleurs. Je ne peux quand même pas les garder sur moi durant toute la danse!

Bon... je pense que je vais aller les porter dans mon casier.

Si jamais tu es encore là, viens me rejoindre.

Sinon, ben... laisse faire.

15

NADEIGE

Je ne sais pas où elle se cache, mais je commence à être tannée de la chercher ! Si Émy ne veut pas me parler, tant pis pour elle. J'étais « presque » prête à faire la paix. Enfin… pas vraiment la paix, mais au moins une trêve. En tout cas, j'aurais arrêté de l'ignorer quand je la croise dans les couloirs. Et j'aurais recommencé à répondre à ses textos.

Mais là, c'est à croire qu'elle le fait exprès ! Elle vient me porter ses fleurs et ensuite… pouf ! Elle disparaît ! Très franchement, je suis certaine qu'elle cherche seulement à me faire payer mon silence des derniers jours. Sauf que je ne vais pas embarquer dans son petit jeu. Parce que c'est maintenant ou jamais. On règle ça tout de suite ou… ou pas du tout !

Je dépose quand même dans mon casier les fleurs en papier qu'elle a confectionnées. Je prendrai la peine de les lire plus tard. Je suis touchée qu'Émy ait pris le temps d'écrire un message sur chacune, et je ne veux pas que Noémie et Jordane me surprennent ici et essaient encore une fois de les détruire. Je referme délicatement la porte de ma case afin de ne pas froisser les fleurs (c'est qu'elles prennent pas mal de place!) et m'appuie dessus, en fermant les yeux pour réfléchir.

Cela me permet de faire le bilan de tout ce qui s'est passé ces derniers jours.

* Ma dispute avec mon ancienne BFF.

* Mon amitié (peut-on vraiment appeler ça ainsi) avec la greluche.

* Ma venue ici, à la danse de la Saint-Valentin, avec Sasha (il a accepté avec joie).

* Et mon nouveau look (que je déteste, aussi bien dire la vérité...).

Le silence me fait du bien. Du moins, jusqu'à ce qu'il soit brisé par des éclats de rire et des voix, dans l'autre rangée de casiers. Est-ce que ça pourrait être Émy qui vient enfin me rejoindre? Ah... non, impossible. Ils sont plusieurs à approcher.

Je me redresse, en croisant les doigts pour que ceux qui viennent ne tournent pas le coin et restent là où ils sont. Je n'aurais peut-être pas dû donner rendez-vous à Émy ici, finalement… Trop de risques de nous faire surprendre en pleine discussion.

En plus, il n'y a pas le moindre surveillant. Ils sont tous occupés à vérifier que nous ne nous collons pas trop lors des slows. Mouais… je ferais peut-être mieux de retourner dans le gymnase, là où tout le monde s'amuse. Toutefois, je n'ai pas le temps de m'éloigner qu'une gang de gars apparaissent, au bout de la rangée. Dès qu'ils m'aperçoivent, ils se mettent à siffler et à rigoler encore plus fort.

OK, c'est le moment idéal pour partir, et au plus vite. Surtout que je viens de les reconnaître…

Il s'agit de nul autre qu'Antony et ses amis. Ceux-ci sont plus rapides que moi : ils me rattrapent en deux temps trois mouvements et m'encerclent, sans cesser de rire. Leurs regards sont même légèrement vitreux. Comme si… comme s'ils avaient bu quelque chose, avant de venir à la danse. Il faut dire qu'ils sont un peu plus vieux que moi, mais quand même. Ce n'est pas une raison pour boire de l'alcool avant une fête organisée par l'école !

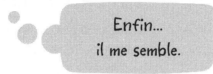

Enfin...
il me semble.

Je voudrais continuer d'avancer pour retourner dans le gymnase, mais Antony se plante devant moi et me bloque le chemin.

— Hé ! Qui voilà ! La belle Nadine !

— Je m'appelle Nadeige.

— Oups ! rigole-t-il, en levant la main pour toucher mes cheveux.

Je tente de le repousser, mais il est plus costaud que moi.

— Relaaaxe, Nad… eige. Tes cheveux sont doux. Je peux les sentir ?

Nouveaux éclats de rire autour de moi. Ces imbéciles semblent vraiment s'amuser à mes dépens, en ce moment. Mais je ne vais pas les laisser faire !

— Non. Tu ne peux pas. Pis si tu t'approches, je ne vais pas hésiter à…

— Ouais, je sais. T'es pas mal bonne pour donner des coups bas, me coupe Antony, qui a perdu son sourire, en faisant référence à ce que je lui ai fait l'autre soir dans le parc.

Il se tasse sur le côté pour me laisser passer, et je soupire intérieurement. Pas qu'il me faisait peur, mais… Bon, la situation était vraiment stressante, je dois bien l'avouer. Ses amis l'imitent et s'éloignent de quelques pas.

Je m'apprête à les dépasser quand Antony m'agrippe fermement par la chevelure, m'arrêtant dans mon élan. Je pousse un petit cri et porte la main à ma tête.

— Aïe! Mais qu'est-ce que…?

— Je n'aime pas trop ton attitude avec moi, Nadeige, lance-t-il d'un ton brusque. Je ne t'avais rien fait, avant que tu me frappes.

Autour de lui, les gars ont cessé de rire. Je ne suis pas certaine qu'ils apprécient les manières de leur ami. N'empêche, aucun d'entre eux n'intervient pour m'aider.

Je vais devoir me débrouiller toute seule…

— Lâche-moi! Sinon, je… je me mets à crier.

— Je ne te le conseille pas, réplique-t-il en fermant solidement le poing sur mes cheveux et en collant son visage contre le mien.

> Je lui dis, ou pas,
> qu'il a **vraaaiment**
> mauvaise haleine ?

— Hé, Anto, laisse-la partir, tente mollement un de ses copains. On est venus ici pour prendre de l'alcool dans ton casier, pas pour… pour ça.

Mais le principal intéressé ne semble rien vouloir entendre, car il me pousse vers un casier avec rudesse. OK, cette fois, c'est sérieux. Je ne sais pas ce qu'il compte me faire, mais je ne vais certainement pas rester ici pour le savoir.

Quand j'étais jeune, mes parents ont tenu mordicus à ce que je suive des cours d'autodéfense. Au départ, je trouvais ça ridicule, même si j'aimais bien le côté défoulement de la chose. Et ce soir, alors qu'Antony me retient toujours solidement par les cheveux, je me dis que c'est le moment parfait pour lui montrer de quoi je suis capable.

Mon cœur doit battre à cent à l'heure, alors que l'adrénaline décuple mon énergie. Je ne vais pas lui donner un autre coup dans les parties : il risquerait de s'y attendre et de l'éviter facilement… À la place, je lève le coude et le lui balance dans le cou. Il recule et me lâche enfin, en ouvrant de grands yeux surpris. Je n'hésite pas une seconde et le frappe durement du talon sur le tibia, ce qui le fait crier de douleur.

Voilà pour toi,
ESPÈCE D'IDIOT !
On ne s'en prend pas à moi
sans en payer le prix !

Sauf que… en comptant ses amis, ils sont quatre contre une. Je ferais mieux de déguerpir au plus vite. Ce que je fais sans plus attendre, d'ailleurs, en me faufilant entre les autres gars, qui, de toute évidence, ne savent pas comment réagir. Mais je n'ai pas fait trois pas que la voix de l'un d'entre eux résonne dans mon dos.

— Rattrapez-la !

OK, c'est le temps
d'accélérer !

Ce que je fais aussitôt, les gars sur mes talons. Je tourne le coin de la rangée de casiers et m'engage dans la suivante, pour ensuite déboucher dans le couloir menant au gymnase. Au loin, je perçois de la musique. Même si je crie, je doute que quiconque à l'intérieur du local m'entend. Le bruit est trop fort. Je dois essayer d'aller encore plus vite. Je jette un coup d'œil derrière moi. Ils sont tout près. Et Antony semble se porter mieux, car il court lui aussi.

ZUT DE ZUT !

Je tourne la tête pour regarder en avant, quand j'ai soudain l'impression de rentrer dans un mur. Sonnée, je manque de tomber, mais je suis retenue par les deux bras de quelqu'un.

— Euh… ça va, Nadeige ? Je te cherchais, me questionne Sasha, avant de relever la tête pour observer les quatre gars qui ont ralenti en le voyant sortir du gymnase.

Les sourcils froncés, il se déplace pour se mettre entre la gang à Antony et moi, avant de demander à ceux qui approchent :

— À quoi vous jouez, au juste ?

— Ne t'en mêle pas, Lenoir ! On a des trucs à discuter avec elle…, lâche Antony, qui s'est frayé un chemin entre ses amis.

— On devrait peut-être y aller, mentionne l'un d'eux. C'est le fils du directeur, pis moi, je ne veux pas avoir de problèmes…

Sasha hausse les sourcils, sans cesser de les fixer. Il attend de voir quelle sera leur réaction. De mon côté, je ne peux me retenir de leur crier :

— Bande de lâches ! Quand je suis toute seule, alors là, vous jouez les gros bras, mais dès qu'un gars se pointe, vous pissez dans vos culottes !

Sasha se raidit et me jette un coup d'œil pour me faire signe de me taire, mais je poursuis sur ma lancée :

— En plus, Antony, je ne veux pas te faire de peine, mais tu pues de la bouche ! C'est fou ! Aucune fille ne voudra jamais t'embrasser, avec ton haleine de cheval ! J'ai failli vomir, tantôt, quand tu…

— OK, ça suffit ! me coupe Sasha, en tentant de m'entraîner dans le local.

— C'est ça, va calmer ta blonde ! lance Antony, frustré. De toute façon, c'est une agace ! Elle aime ça, nous exciter, alors qu'au fond, elle veut juste…

Sans que je m'y attende, Sasha me lâche et pivote sur lui-même. Il lève le bras si vite que c'est à peine si je comprends ce qu'il fait, puis… BANG ! Son poing s'abat sur le visage d'Antony, qui recule et bascule dans les bras de ses amis.

Le silence se fait alors et nous nous observons les uns les autres, éberlués. Mais cela ne prend que quelques secondes avant qu'Antony tente de se redresser, en jurant qu'il va régler son compte à Sasha. Par chance, ses compagnons le retiennent et l'entraînent loin de nous deux, alors que, pour sa part, cet idiot ne cesse de hurler de frustration.

Dès qu'ils disparaissent de notre champ de vision, Sasha, qui se tenait droit comme une planche après son coup de poing, se plie en deux en gémissant. Il colle sa main contre son ventre et grimace. Je me dépêche de le rejoindre, pour m'assurer qu'il va bien :

— Ça fait mal ?

— Selon toi ? marmonne-t-il.

Je l'observe bouger ses doigts, comme pour faire partir la douleur. Je me tais, ne sachant que dire. Il respire fort une minute ou deux pendant que je le regarde, plus secouée que je ne veux l'avouer. Lorsqu'il se calme enfin, il me jette un coup d'œil, puis demande :

— Pourquoi tu me regardes comme ça ?

— Comment je te… ? Hein, mais non, je ne te regarde pas.

— Oui, tu me regardes. Et tu souris, m'indique-t-il en se redressant lentement.

— Je ne souris pas ! dis-je en tentant de pincer les lèvres.

— Si, tu souriais, s'entête-t-il.

Je finis par hausser les épaules, ne voulant pas m'obstiner avec lui. Il faut dire qu'il a sûrement raison. Je crois que je souriais. Mais c'était plus fort que moi. Je ne pouvais pas m'en empêcher ! Et le pire, c'est que je ne sais même pas pourquoi…

Enfin… je m'en doute un peu, mais je préfère ne pas trop y réfléchir.

Lorsqu'il semble aller un peu mieux, Sasha prend une bonne inspiration, puis me propose d'aller parler ailleurs.

— Parler ? De quoi tu veux parler ? dis-je en jouant la carte de l'innocence.

— Premièrement, je veux savoir ce que ces gars te voulaient et pourquoi ils te couraient après…

Je balaie aussitôt l'air de la main, pour changer de sujet.

— Ah, ça… c'est une longue histoire. Ne t'en fais pas pour ça.

— Si tu as des problèmes avec eux, il faut en parler à mon père, Nadeige. Qu'est-ce qu'ils t'ont fait, au juste?

— Rien, je te dis! Et c'est quoi ton « deuxièmement »?

Cette fois, Sasha semble moins sûr de lui. Il baisse le menton et fixe ses souliers une seconde ou deux, avant de revenir à moi. Puis, il se décide à avouer:

— Je t'aime encore, tu sais.

À l'intérieur de moi, je me recroqueville. Je ne pourrais le décrire autrement. Je ne sais pas comment réagir, alors je rentre ma tête dans mes épaules et finis par cacher mon visage avec mes mains.

Sasha m'attrape les poignets et les redescend doucement, pour voir mes yeux. Je les plante dans les siens, en gardant mes poings au niveau de ma bouche pour écouter la suite.

— Je suis vraiment désolé, me chuchote-t-il. J'aimerais ça, revenir en arrière, mais je ne le peux pas. Je peux seulement essayer de me faire pardonner. Penses-tu que ce serait possible?

— Quoi?

— Que tu me pardonnes?

Je le regarde. Longtemps. En respirant à peine. Il descend encore un peu plus mes poignets, dévoilant ainsi ma bouche. Puis, il se penche. Sans me quitter du regard. Pour être certain que c'est aussi ce que je veux. Une éternité plus tard, ses lèvres touchent les miennes. Je ressens une décharge dans tout mon corps. Des petites larmes se forment au coin de mes yeux et je les laisse couler, sans penser à les cacher.

Notre baiser s'arrête, et dès que Sasha remarque mes larmes, il m'essuie les joues de ses deux pouces.

— Ne pleure pas, Nadeige. On dirait que tu es triste, et je n'aime pas ça. Si ça te fait de la peine que je t'embrasse, je ne le referai plus, promis, dit-il, résigné, les épaules basses.

Je secoue la tête pour lui faire comprendre que non. Ce ne sont pas des larmes de tristesse, mais de joie. Mais comme il ne saisit toujours pas, je lui attrape le visage à mon tour et le tire vers moi.

Pour un autre baiser…

Salut, Nad. Tu m'as écrit?

Désolée si je ne t'ai pas répondu avant, mon cell était mort.

Je suis rentrée chez moi. Je ne peux malheureusement pas aller te rejoindre aux casiers…

Qu'est-ce que tu voulais me dire?

Rien.

Enfin… si. Un truc.

Mais je ne peux pas tellement te le dire comme ça, par téléphone… En plus, je suis encore à la danse et j'ai de la misère à me concentrer.

Allez, je t'écoute.

Je… je pense que je vais de nouveau sortir avec Sasha.

Pour vrai?

Je suis vraiment contente pour toi, Nad!

Tu mérites d'être heureuse,
et Sasha aussi! ☺

Est-ce que ça veut dire que
tout est pardonné?

On va... on va redevenir amies?

Je ne sais pas, Émy.

C'est comme si quelque chose
s'était brisé, entre nous.

Et je ne sais pas si ça peut être réparé...

16

ÉMY-LEE

Je croyais que cette fois était la bonne… Mais non, rien n'est si simple avec Nadeige. Le pardon ne fait clairement pas partie de ses forces…

Toujours aussi déprimée qu'au début de la soirée (sinon plus!), je m'allonge sur mon lit avec mon téléphone. Je dois me changer les idées. Mettre cette stupide soirée de Saint-Valentin de côté et oublier à quel point je suis malheureuse. J'ai un truc parfait pour y arriver: regarder des vidéos sur mon cell. J'adore visionner les auditions de candidats qui se présentent à un populaire concours de talents. Il y a de tout dans cette compétition:

✅ DES ACROBATES (des bons… et des moins bons)

✅ DES MAGICIENS (dont quelques-uns qui ratent leurs tours, ce qui me fait rire chaque fois!)

✓ DES HUMORISTES (comme c'est en anglais, je ne comprends pas grand-chose à leurs blagues...)

✓ DES DANSEURS (certains sont hallucinants!)

✓ DES CHANTEURS (certains sont assourdissants!)

Ce qui m'étonne le plus, c'est de voir à quel point l'humain est créatif (et un peu étrange, aussi, parfois). Je suis au beau milieu d'un numéro de danse captivant quand un message apparaît sur mon écran. C'est Sasha. Je suis partie vite de la soirée. Il doit probablement me chercher.

Salut, Émy. Tu es là?

Oui! Je suis de retour chez moi.

Alors, la fin de soirée est à ton goût?

Toi, tu n'as pas parlé à Nadeige, hein?

OUI! Elle m'a écrit tout à l'heure. C'est GÉNIAL! 😃

Attends... Tu me niaises?

Ben non. Pourquoi? Je suis super contente, voyons!

Wow... J'avoue que je suis surpris, là, Émy-Lee.

C'est normal que tu aies de la peine à cause de tout ce qui se passe entre Nadeige et toi, mais de là à lui souhaiter du malheur... C'est assez ordinaire!

Du malheur? Qu'est-ce que tu racontes? C'est une excellente nouvelle, au contraire! 🤍

OK... Je pense qu'on se comprend mal... De quoi tu parles au juste?

Ben, de vous deux! Du fait que vous allez vous remettre ensemble! 😊

Et toi? De quoi tu parles?

Oh, tu n'es pas au courant?
Nadeige s'est fait agresser tout
à l'heure! J'ai dû intervenir!

AGRESSER?

Mon sang ne fait qu'un tour. Je relis les mots de Sasha pour être certaine d'avoir bien compris. Et évidemment, je pense tout de suite au pire. Je n'y peux rien, je suis comme ça. Des images terribles s'insinuent dans ma tête sans que je puisse les contrôler. Pendant que mes pouces tapent en vitesse sur mon téléphone, j'imagine mon amie couchée sur un lit d'hôpital avec des ecchymoses sur tout le corps. C'est horrible!

Qui a fait ça? Je vais lui arracher la tête!

Est-ce qu'elle est correcte?

Où est-ce qu'elle est, là?

266

> Ah, puis laisse faire ! Je vais le lui demander moi-même.

> Merci de m'avoir prévenue !

Je quitte ma conversation avec Sasha, trop pressée d'avoir des nouvelles de mon amie. J'espère qu'elle est assez en forme pour me répondre.

> Nad ! Écris-moi au plus vite, d'accord ? Je suis super inquiète !

J'attends une minute, le cœur battant. Voyant qu'elle ne donne pas signe de vie, je bondis en bas de mon lit pour mieux réfléchir. J'essaie de rester calme et lucide (*pour vrai, j'essaie fort !*), mais c'est un échec total ! Mon cerveau devient hyperactif. Il s'imagine les pires scénarios ! Je dois faire quelque chose avant de perdre la tête ! Tout en multipliant les allers-retours dans ma chambre, je fixe mon téléphone dans l'espoir de recevoir une réponse... mais toujours rien. Cette fois, j'appelle chez Nad. Tant pis si je réveille quelqu'un !

Au moment où je m'apprête à composer le numéro, elle m'écrit enfin !

Qu'est-ce qui se passe, Émy?

Comment ça, qu'est-ce qui se passe? Tu t'es fait agresser! Est-ce que tu es OK?

Bah... Tu parles de ce petit incident?
Ne t'en fais pas, je vais bien.

Où es-tu, là? Je veux que tu me racontes!

Une autre fois, d'accord? Je ne vois pas grand-chose, à cause de la noirceur de la salle. J'ai de la misère à t'écrire.

Tu es encore à la fête?

Oui. On se reparle à un autre moment.

J'éteins mon téléphone, un peu sous le choc. Tout est allé si vite que j'ai du mal à comprendre... Si Nad est toujours là-bas, c'est que la situation n'est pas si grave. Bonne nouvelle. Et si elle a accepté de me répondre, c'est qu'elle m'en veut moins qu'avant. Autre bonne nouvelle. Ce qui signifie que...

> Je dois en profiter !

C'est la première fois qu'elle démontre une telle ouverture depuis notre dispute. Peut-être qu'elle me racontera tout, si je suis chez elle à son retour de la soirée.

> Quelle bonne idée !

Pressée de mettre mon plan à exécution, je sors de ma chambre à la recherche d'un transport. Le problème, c'est que maman et Liam dorment déjà, et que papa m'a laissé une note sur la table.

Suis parti chercher les jumeaux à la fête.

Papa xxx

Torbinouche !
J'évalue rapidement mes options, qui sont, avouons-le, plutôt limitées.

Option 1: Attendre mon père (ce qui peut prendre pas mal de temps). Trop long. Je veux arriver chez Nad avant son retour!

Option 2: Réveiller maman (et Liam, par le fait même, puisqu'on ne peut pas le laisser seul pendant notre absence). Trop cruel.

Option 3: Partir à vélo (dans le froid et la neige?). Trop dangereux.

Option 4: Y aller en autobus. Trop long, ça aussi. Le prochain bus passe dans 45 minutes, je viens de vérifier.

Option 5: Enfiler mes espadrilles et me rendre chez Nadeige à la course, même s'il commence à se faire tard.

Va pour la dernière option!

Après m'être habillée chaudement, je laisse un message aux parents et file à l'extérieur. Dès les premières enjambées, je sens une poussée d'adrénaline se faufiler dans mes veines. Ce surplus d'énergie est le bienvenu, puisque j'ai plusieurs kilomètres à franchir avant d'arriver chez Nad.

Pendant que mes pas foulent les routes enneigées, je me concentre sur des détails insignifiants tels que les flocons qui brillent sous la lumière des lampadaires et les décorations de Saint-Valentin qui ornent certaines résidences. C'est un excellent moyen de contrôler ma fébrilité. Je suis si excitée à l'idée de passer du temps avec Nad! Lorsque je frappe à la porte de sa maison, plusieurs minutes plus tard, sa mère m'ouvre presque aussitôt, un grand sourire aux lèvres.

— Émy-Lee? Quelle belle surprise!

— Salut. Je sais que Nad n'est pas encore revenue, mais je me demandais si je pouvais l'attendre dans sa chambre.

— Bien sûr, entre, me répond-elle en reculant pour me laisser passer. Je suis contente que tu sois là, Émy. C'est signe que ça va mieux entre vous deux.

Elle me fait un clin d'œil et s'empare de mon manteau pour l'accrocher dans la garde-robe. J'enlève ensuite mes chaussures de course et me rends dans la chambre de mon amie. Ça me fait tout drôle de me retrouver ici... En temps normal, ça ne m'aurait pas dérangée, mais aujourd'hui, c'est différent. J'ai l'impression de violer son intimité. Un énorme fossé nous sépare depuis mon retour de l'Alberta, et j'ai un doute, tout à coup. Soit elle sera contente de me voir, soit elle me sortira de chez elle par la peau du cou. Je suis prête à prendre le risque...

Je m'assois sur son lit (défait, évidemment!) et inspecte les environs avec attention. Rien n'a changé, sauf peut-être cette affiche sur le mur (depuis quand elle écoute ce genre de musique?). C'est toujours aussi sens dessus dessous par ici. Il y a du linge sale un peu partout, un vieux sac de chips et des boules de papier chiffonné. La seule chose qui est différente, c'est le maquillage, le vernis à ongles et les autres articles de beauté éparpillés sur son bureau, à travers ses cahiers d'école. Je reconnais tout de suite l'influence de la greluche...

Je prends un tube de rouge à lèvres et l'ouvre pour en découvrir la couleur.

Rouge vif.

Je souris malgré moi. C'est tellement loin de la personnalité de Nadeige que c'en est comique! Je le dépose et mes yeux bifurquent vers son agenda. Tout de suite, ma petite voix intérieure se sent obligée d'intervenir:

Ne fais pas ça, Émy.

Quoi? Il n'y a pas de mal à jeter un œil, non? C'est juste un agenda, après tout. Pas un journal intime.

Justement!
Il y a plein d'informations secrètes là-dedans!

Je songe à tous les cœurs et à tous les noms que j'ai tracés dans mes agendas depuis le début de mon secondaire. En ce qui me concerne, c'est un peu le prolongement de ma personnalité. Mais en même temps, je n'imagine pas trop Nadeige noter des trucs romantiques dans le sien... Ça ne lui ressemble pas. Par contre, je risque de tomber sur des informations intéressantes au sujet de la greluche... ou même de Jordane!

Incapable de me retenir, je tourne les pages à toute vitesse jusqu'à ce que j'arrive à la date d'aujourd'hui. Pff... Il n'y a que des gribouillis, là-dedans! C'est à croire qu'elle passe ses cours en entier à dessiner (au lieu d'écouter!).

C'EST LOOOOONG!

C'EST PLAAAATE!

Pourquoi monsieur Grisé porte-t-il toujours cette AFFREUSE chemise brune?

L'arrière de la tête de Juliette est ennuyant!

Je DÉTESTE les maths!

Je DÉTESTE le français!

J'AI FAIM!

Je parcours ses notes des derniers jours (L'univers scolaire de Nad est fascinant!) et réalise vite qu'elle n'a pas fait la moitié des devoirs à remettre pour la semaine prochaine. Même en y consacrant tout son week-end (ce que je doute qu'elle fera, pour être honnête), elle n'y arrivera jamais à temps. Je connais la suite. Elle va soit les bâcler, soit oublier de les faire. Évidemment, elle sera punie et se retrouvera une fois de plus en retenue. Elle se disputera avec ses parents, qui la puniront à leur tour. Bref, je prédis une semaine tout à fait bordélique à Nad.

Sauf si je prends
les choses en main!

Oh, la bonne idée ! Impressionnée par mon audace, je m'installe au bureau de travail de mon amie, le cœur battant. Tiens, tiens… Voilà quelque chose d'intéressant. Nad a une production écrite à remettre le 17 février. Ce n'est pas le genre de devoir qu'on peut faire en si peu de temps. Enfin… pas pour une fille comme elle. Je lis ses notes pour obtenir plus d'informations, et souris à belles dents en découvrant un papier contenant les directives.

Rédige un texte à caractère expressif en utilisant une des formes suivantes : témoignage, poème, lettre personnelle ou journal intime. Le sujet est libre, et le texte doit comprendre entre 300 et 500 mots.

Je saisis un crayon et une feuille lignée pour élaborer un plan rapidement, puis je me mets à l'ouvrage. Le journal intime me semble une excellente façon de m'exprimer. Je décide de lui donner un côté dramatique, question de bien faire passer le message à Nadeige. À mon avis, c'est un bon moyen de lui montrer à quel point elle me manque. Je m'applique donc à rédiger le plus beau texte possible.

Le vendredi 14 février,

Cher journal,

Il y a un moment que je t'ai écrit, et je m'en excuse. Loin de moi l'idée de te délaisser, mais les événements des dernières semaines ont été particulièrement difficiles. La perte de ma meilleure amie a creusé un gouffre dans mon ventre. Un vide abyssal qu'il m'est impossible de combler, malgré tout l'amour que d'autres m'ont donné depuis son départ. C'est une partie de mon être qui m'a été arrachée, une partie de mon âme. Depuis ce jour, je me demande comment survivre à sa disparition. La vie reprendra-t-elle son cours? La peine laissera-t-elle la place à la joie? Le bonheur remplacera-t-il ce désespoir qui me grafigne de l'intérieur?

J'aurais dû lui demander pardon quand il en était encore temps. Insister, encore et encore, pour que notre amitié redevienne comme avant. C'est trop tard, maintenant. Elle est partie. Pour toujours.

Je dois me contenter de souvenirs, désormais.

La beauté de ses yeux... L'éclat de ses rires... sa folie, sa joie de vivre, son assurance.

Tout cela. Envolé.

Serai-je heureuse à nouveau? Seul le temps me le dira.

Ça me fait du bien de te parler, cher journal. J'ai l'impression de retrouver un vieil ami perdu après toutes ces années. L'encre qui coule sur tes pages blanches...

Je m'apprête à poursuivre mon texte lorsque mon père m'envoie un message.

Es-tu toujours chez Nadeige, Émy-Lee?

Oui.

Je passe te prendre, d'accord? Je ne veux pas que tu rentres à pied à cette heure.

Tu seras là dans combien de temps?

Dix minutes, ça te va?

Je pose les yeux sur ma feuille, hésitante. Si j'accepte, ça veut dire que je ne verrai pas Nadeige. Mais le texte que je suis en train de rédiger pour elle vaut bien plus que toutes les discussions du monde. Non seulement je lui rends service en l'empêchant de remettre un autre devoir bâclé, mais j'en profite aussi pour lui montrer (une fois de plus) à quel point je suis désolée de tout ce qui nous arrive. Nadeige appréciera mes efforts, c'est certain !

Je réponds à mon père que c'est parfait, et je me remets à l'ouvrage sans perdre de temps. En relisant ma composition, toutefois, je réalise qu'il n'y a AUCUNE chance que le prof croie que c'est Nad qui l'a écrite. Sérieusement, ce n'est pas pour me vanter, mais on dirait un texte de pro ! Je dois remédier à ça ! J'efface certains mots (les plus recherchés) et les remplace par un vocabulaire plus accessible (plus banal). Puis, j'ajoute des fautes ici et là pour donner un peu de crédibilité à l'ensemble de l'œuvre. Je relis le tout une dernière fois.

Beaucoup mieux !

Je referme ensuite le cahier de rédaction de Nadeige, je sors de sa chambre et je remercie sa mère pour son hospitalité. Une fois à l'extérieur, je monte à bord de notre voiture avec le sentiment du devoir accompli (c'est le cas de le dire !).

Salut, Nad! Je suis passée chez toi, hier, en fin de soirée. Je t'ai laissé un petit cadeau.

Tu m'en donneras des nouvelles.

???

De quoi tu parles?

Désolée, je suis dans le jus. Il faut que je rattrape le temps perdu.

Je n'y arriverai jamais…

Bon, j'arrête de me plaindre et je m'y mets.

Ah… zut. Sasha vient de m'écrire. Je dois y aller.

NADEIGE

Qu'est-ce que c'est que ce bruit ? On dirait…
on dirait une sonnerie de… de réveille-matin.

OMG ! Ça sonne depuis je ne sais pas
quand et moi, je vais être en retard à l'école !!!
Non mais, c'était quoi, aussi, l'idée de texter
Sasha jusqu'aux petites heures de la nuit hier ?!
En plus, il a fallu que je me cache sous mes couvertures, parce que je n'ai pas le droit d'utiliser
mon téléphone aussi tard.

> Mais je n'ai pas pu résister…

Sasha passait son temps à m'écrire et je ne
pouvais pas faire autrement que lui répondre.
Et lui envoyer des tas d'émojis avec des yeux en
cœur… Parce que oui ! Lui et moi, c'est reparti !
Pour de bon, cette fois, j'en suis certaine !
C'est obligé, puisque… JE L'AIME !!!

> Il est beau. Il est gentil. Il est drôle.
> Il est parfait. Et il m'aime, lui aussi !

Bon, il y a cette histoire de baiser avec Émy qui me chicote, mais… je le sais, au fond de moi, que c'était sans importance. Ce qui fait que je vais devoir me faire une raison. Pour le moment, c'est encore un peu difficile, mais je parviendrai sûrement à pardonner à ma BFF, un jour ou l'autre.

Pas tout de suite, mais… bientôt.

Enfin, je l'espère. Elle me manque tellement. Normalement, je serais en train de lui envoyer des centaines de textos pour lui parler de Sasha et de ce que je ressens. Là, je suis prise pour en parler avec Noémie. Rien de bien emballant…

Cela dit, ce n'est pas non plus le temps de songer à tout ça. Je dois me dépêcher, si je ne veux pas rater l'autobus. D'ailleurs, comment ça se fait que mes parents ne m'ont pas réveillée, aussi ? Normalement, ils sont les premiers à me jeter hors du lit !

Dès que je mets les pieds au sol, je frissonne. Le plancher est froid. C'est désagréable. En vitesse, j'enfile une paire de bas, puis je ramasse ma jupe du collège, abandonnée là depuis vendredi dernier. Je complète le tout par une chemise à moitié boutonnée, avant de foncer vers la cuisine. Sur place, je ne sens pas l'odeur habituelle du café que mon père fait couler le matin, dès qu'il se lève.

Voyons, qu'est-ce qui se passe avec mes parents, aujourd'hui?

Tout en ouvrant la porte du frigo, je les interpelle, afin de savoir où ils sont.

— M'maaaaan? P'paaaaa?

Au loin, j'entends une voix rauque me répondre. Je referme la porte du frigo et me dirige vers la chambre de mes parents. Là, j'y trouve mon père, toujours enfoui sous ses couvertures. Je reste sur le seuil et lui demande:

— Euh… tu ne travailles pas?

— Euk, euk! Non, je suis trop malade, parvient-il à dire d'une voix enrouée, après avoir presque craché ses poumons en entier. Ta mère est partie à la pharmacie pour m'acheter des pastilles et du sirop.

— Ah, c'est pour ça que personne ne m'a réveillée…

— D'ailleurs, tu ne devrais pas te dépêcher? Il est l'heure de…

Il ne termine pas sa phrase et se remet à tousser à en perdre le souffle. Je ferais mieux de ne pas rester là, si je ne veux pas attraper le même virus que lui. Mais comme je suis une jeune fille très serviable et attentionnée (bon, il ne faudrait pas exagérer...), je lui rapporte tout de même un verre d'eau. Je pose celui-ci sur sa table de chevet, avant de sortir de la chambre sans m'éterniser.

Après ça, c'est la course folle dans la maison pour me préparer. Ce n'est qu'une fois mes bottes enfilées et mon manteau sur le dos que je réalise que mon sac à dos est resté dans ma chambre.

> ARGH! Je vais devoir retirer mes bottes, alors qu'il m'a fallu une éternité pour les attacher!

Un peu découragée, je lève ma botte droite et en viens à la conclusion qu'il n'y a presque pas de neige en dessous. Elle a eu le temps de bien sécher, depuis la dernière fois où j'ai mis mes bottes. Et puisque personne ne me surveille, aussi bien en profiter. Je file donc vers ma chambre, attrape mon sac et lance dans celui-ci tous mes cahiers éparpillés sur mon bureau.

Je n'ai pas eu le temps de faire mes devoirs ce week-end. Zut… La prof de maths, Paquette, va encore me tomber sur la tête. Ce qui, il faut bien l'avouer, ne sera pas nouveau sous le soleil. Et c'est sans oublier ce fichu texte à écrire pour le cours de français que je devais terminer pour le 17 février…

D'ailleurs, quelle date est-on, au juste? Je jette un œil au calendrier que ma mère a tenu coûte que coûte à installer devant mon bureau de travail, dans le but que je m'organise plus facilement. Et c'est là que je constate que…

OMG! Le 17 février, c'est aujourd'hui, ça!!!

Je suis fichue! Je vais me retrouver en retenue. Pire, je vais couler mon cours de français! À moins que… Si j'arrive assez tôt à l'école, je pourrai essayer d'écrire ce satané texte en vitesse. Je sais… c'est beau, rêver.

Puisque je n'ai pas le choix, mon sac à moitié zippé sur le dos, je sors de ma chambre et tombe sur mon père, qui a réussi à se lever de son lit.

— Euh… tu devrais peut-être rester couché, papa…, dis-je en croisant les doigts dans mon dos pour qu'il ne me fasse pas de remarques sur mes bottes.

— Ouais… mais je pense que je vais être mala…

Il me bouscule et presse le pas jusqu'à la salle de bain, où j'entends de drôles de bruits. Yark X 1000 ! Je crois que parmi les choses les plus dégueu auxquelles j'ai assisté dans ma vie, il y a…

CHOSES LES PLUS DÉGUEU :

* Numéro trois : vomir.

* Numéro deux : me faire vomir dessus par Émy (qui avait été malade après avoir mangé trop de chocolat).

* Numéro un : entendre mon père vomir !!!

Je me bouche les oreilles de mes deux mains et me précipite vers la porte d'entrée, que je referme d'un coup sec. Une fois à l'extérieur, je respire déjà mieux. Je sais que mon père fait pitié d'être aussi malade, mais je ne pense pas être capable de l'aider davantage. Je préfère cent fois aller au collège plutôt que rester à la maison pour lui donner un coup de main.

Tandis que je marche d'un bon pas, je vois mon autobus tourner le coin de la rue. Oh non ! Je vais le rater ! C'est en sprintant que j'arrive à l'arrêt, la langue à terre. Je grimpe à bord en respirant un peu trop fort et tente de me contrôler, mais ce n'est pas évident. J'ai vraiment donné tout ce que j'avais. Quelle mauvaise façon de commencer sa journée !

Épuisée, je me laisse tomber à côté de Delphine, qui retire les écouteurs de ses oreilles pour se tourner vers moi, le visage fermé. Ce n'est que là que je me rappelle que je ne lui ai presque pas parlé, ces dernières semaines.

— Je pense que tu t'es trompée de siège, me lance-t-elle, avant de remettre ses écouteurs.

— Non, attends, je…

Rien à faire, elle me boude et se tourne vers la fenêtre. Je soupire, puis me relève, mais le chauffeur me hurle aussitôt de me rasseoir. OK, OK, du calme. Je m'exécute quand même et reviens à Delphine, qui m'ignore superbement.

Au fond, je n'ai que ce que je mérite. Ça fait des jours que je m'assois avec Noémie. Un peu normal que Delphine soit insultée de me voir revenir sans aucune explication.

Quoique… c'est le moment parfait pour me faire pardonner, justement. Sans hésiter, je saisis mon cellulaire et me dépêche de lui écrire un message.

> Delphine, je suis désolée. Je n'étais pas moi-même, depuis le retour d'Émy.

> J'en voulais à la terre entière. Et j'avais besoin de me prouver des choses, je crois.

> Je m'excuse de t'avoir ignorée de la sorte.

Ma voisine de siège se tortille pour sortir son cellulaire de sa poche, afin de regarder qui lui a écrit. Je la vois soupirer, avant de se résoudre à me répondre.

> Tu ne me dois rien, Nadeige. Sauf que je ne suis pas un bouche-trou. Ce n'est pas parce que Noémie ne veut plus entendre parler de toi que tu peux revenir vers moi comme ça !

> Hein ? Mais non, rien à voir. Noémie n'est pas fâchée contre moi.

> Pourtant, elle a l'air de bien s'entendre avec Jordane. Et de se ficher carrément de toi.

Je jette un œil à la principale intéressée, assise quelques bancs plus loin, Jordane à ses côtés. Noémie ne semble même pas m'avoir remarquée. Delphine a peut-être raison, après tout. La greluche s'est trouvé une nouvelle amie. Je hausse les épaules, puis me retourne vers l'avant. Très franchement, ça ne me fait ni chaud ni froid. C'est pourquoi je réécris aussitôt à Delphine.

> Bah, je m'en fiche.

> Donc, si je comprends bien, tout est réglé. Tu es de nouveau amie avec Émy-Lee ?

> Euh... pas tout à fait.

> Dis, et si on se parlait, au lieu de s'écrire ?

>

Je tourne la tête vers elle et elle m'imite, en souriant, avant de retirer ses écouteurs. Soulagée, je m'empresse de m'écrier :

— J'ai vraiment réagi comme un gros bébé. Tu peux me le dire, que je suis poche, je vais comprendre...

— T'es poche.

— Hé !

— Ah ! Ah ! Mais non, rigole-t-elle. Je ne sais pas comment j'aurais réagi, à ta place, si mon chum avait embrassé ma meilleure amie.

— Ben, ce n'est pas exactement ce qui s'est...

Elle pose la main sur mon bras, pour me couper :

— Ouais, je sais. Émy m'a tout raconté.

Je hoche la tête, contente de ne pas avoir à réexpliquer la situation. Je n'ai plus le goût de penser à ça, en fait. J'aimerais passer à autre chose. Point final. Et Delphine m'y aide grandement, en me faisant rire comme avant durant le reste du trajet.

Lorsque l'autobus s'arrête, je m'amuse tellement qu'il me faut un certain temps pour me rendre compte que nous sommes arrivés dans la cour de l'école. Je laisse donc passer les autres élèves avant de me redresser, au moment même où Noémie et Jordane arrivent à ma hauteur.

La première lance un regard dédaigneux en direction de Delphine, tandis que la seconde tourne la tête pour ne pas me voir. Le plus beau, c'est que ça ne me fait rien du tout. Je n'en ai vraiment rien à faire que Jordane me déteste. Par contre, en ce qui concerne Noémie, je verrai plus tard pourquoi elle me fait la gueule.

Une fois hors du bus, je cherche des yeux Sasha, qui vient parfois au collège avec son père. Il ne semble pas être dans la cour. En haussant les épaules, je rentre dans l'école, suivie de peu par Delphine. Nous nous dirigeons vers nos casiers, mais, en chemin, je croise celui que je souhaiterais ne plus jamais rencontrer : Antony.

Heureusement, il est seul, et donc il fait un peu moins le fier. Il passe près de moi sans me jeter le moindre coup d'œil. Toutefois, il se tasse un peu dans ma direction et me donne un solide coup d'épaule. Je trébuche vers un casier sur ma droite et grimace de douleur. Delphine réagit aussitôt en s'écriant :

— Espèce d'idiot ! Tu ne pourrais pas faire attention ?! Sale imbé…

— Laisse faire, lui dis-je pour qu'elle arrête de crier.

— Voyons, Nadeige! Il t'est rentré dedans et il ne s'est même pas excusé!

— Ce n'est pas grave, je te dis. Ce gars est un épais, c'est tout.

Elle me fixe quelques secondes, avant de demander:

— Tu le connais?

— Un peu. Oublie ça, on va être en retard à nos cours, si tu continues de…

— Je m'en fiche, d'être en retard! Si ce gars t'intimide, il ne faut pas que tu…

— IL NE M'INTIMIDE PAS! On peut y aller, là?!

Bien que ça ne semble pas faire son affaire, Delphine finit par m'écouter, puis par me suivre vers nos casiers. Le sien se trouve au début de la rangée, alors que le mien est tout au bout. Je la salue rapidement, mais elle me retient une dernière fois, pour me souffler:

— Il n'y a pas longtemps, une de mes amies m'a aidée à surmonter mon problème d'anorexie. J'aimerais ça pouvoir lui rendre la pareille, à cette amie, si elle a un problème à son tour…

Je sais très bien qu'elle parle de moi, mais je fais comme si je ne saisissais pas le message et ne lui réponds rien, avant de me rendre à mon casier. Ce n'est pas du tout ce qu'elle croit. Antony est une petite brute, il n'y a rien de plus à dire. Et je sais très bien comment me défendre.

Je lance mes bottes et mon manteau dans le fond de ma case, avant de sortir mes cahiers de mon sac. Ah oui… c'est vrai. Mon devoir de français... Je saisis mes choses et me dépêche d'aller dans le local, pour tenter d'écrire un truc rapido presto.

Dès que je prends place à mon bureau, alors que je m'apprête à ouvrir mes cahiers, je sens mon cellulaire vibrer et je ne peux résister à l'envie de regarder qui m'a écrit.

Salut! Je ne t'ai pas vue à ton casier. J'aurais aimé pouvoir t'embrasser, pour bien commencer la semaine… 😊

Désolée, Sasha, mais à cause de toi et de tous tes textos ce WE, je n'ai pas eu le temps de faire mes devoirs. Alors j'essaie de me rattraper à la dernière minute.

La prochaine fois, on les fera ensemble.

Ou tu les feras à ma place! 😊 Tu es tellement meilleur que moi à l'école…

Hum… des plans pour que je sois expulsé du collège! Bien essayé, Nadeige…

OK, OK. Mais là, je dois te laisser. La prof va bientôt arriver. C'est la panique!

D'accord. On trouve un moment de se voir pendant la journée?

Ouuuuiii! ♡♡♡

Je m'apprête à ouvrir mon cahier de rédaction quand l'enseignante pénètre dans le local en même temps que la cloche sonne. Oh non! Ce n'est pas vrai! Elle nous mentionne qu'elle va tout de suite ramasser nos devoirs et fera la correction de nos textes dans les prochains jours.

Bon. Je fais quoi? Je lui dis que je n'ai même pas pris la peine d'ouvrir mon sac à dos, ou je fais l'innocente? De toute façon, je serai punie. Alors autant attendre encore un peu.

Je me lève donc pour aller porter mon cahier à l'avant. Je penserai à cela plus tard.

Pour le moment, j'ai juste hâte de revoir Sasha…
Ce n'est pas comme si les mauvaises nouvelles
n'allaient pas finir par me rattraper.

Ça, j'en sais quelque chose…

Salut. Je n'ai pas trop eu le temps de t'écrire, depuis la danse. Désolée. On n'est toujours pas amies, mais...

Est-ce que tu as vu Sasha?

Oui, il dîne avec moi en ce moment.

Pourrais-tu lui dire de venir me rejoindre aux casiers?

Il ne répond plus à son cell.

Bien sûr. Je lui fais le message.

Et à part ça... toi, comment tu vas?

Bien.

Un peu débordée.

Comme toujours! 😉

Ouais… il y a des choses qui ne changent pas.

Je te laisse, je m'en vais rejoindre Sasha.

Merci.

18

ÉMY-LEE

À la seconde où je me réveille, je pousse mes couvertures et saute en bas de mon lit. Je me précipite à ma fenêtre, j'ouvre grand les rideaux et je serre le poing, satisfaite du paysage qui se dévoile sous mes yeux.

— *Oh yeah!* Trop génial!

C'est la tempête! Elle est aussi forte que ce qui avait été annoncé. Peut-être même plus! Il vente et il neige tellement que j'ai du mal à voir les maisons de l'autre côté de la rue. C'est bon signe… Très, très bon signe! Je m'empare de mon téléphone pour consulter la page de la commission scolaire, gonflée d'espoir. OUI! Les écoles sont fermées! Ce qui veut dire que je peux:

✔ Retourner au lit.

✔ Me rendormir.

✔ Me lever dans une heure ou deux (peut-être même trois!).

✔ Écouter des séries télé toute la journée (en pyjama!).

✔ Niaiser sur Internet.

✔ Manger ce que je veux (quand je le veux!).

En plus, j'ai terminé tous mes devoirs hier soir, alors je n'ai même pas besoin de mettre le nez dans mes livres! La belle vie, quoi! Je sors de ma chambre et me rends à la cuisine pour me servir un verre d'eau avant de retourner me coucher. Les parents sont déjà en train de manger leur déjeuner.

— Contente d'avoir congé? me demande maman avant de prendre une gorgée de café.

— Tellement! Est-ce que les garçons dorment encore?

— Je n'ai pas vu les jumeaux, alors j'imagine que oui. Ton frère s'habille.

Je hoche la tête, attendrie. Liam est probablement le plus courageux et le plus persévérant de tous les enfants que je connaisse. C'est littéralement mon héros! Chaque matin, il met près de quinze minutes à s'habiller tout seul, allongé sur son lit. Il se «bat» avec chaque morceau de vêtement jusqu'à ce qu'il parvienne à tous les enfiler. Je lui ai souvent proposé de l'aider, mais il a refusé chaque fois. Papa et maman disent qu'il est important de le laisser faire. Apparemment, ça lui permet de conserver son autonomie et ses facultés motrices.

— Il y a un restant de lasagne dans le frigo, m'informe papa en se levant pour déposer son assiette dans le lave-vaisselle. Vous pourrez le réchauffer pour dîner.

— Comment ça ? Vous allez où ?

— Travailler, Émy, affirme maman comme une évidence. Les écoles sont peut-être fermées, mais la ville n'est pas complètement paralysée. On a du boulot, ton père et moi.

C'est là que je réalise que je ne pourrai pas retourner me coucher : je dois garder mon frère. Pire encore, les parents me donnent des tonnes de directives.

Tu passeras l'aspirateur au rez-de-chaussée, s'il te plaît. C'est une vraie soue à cochons, ici !

J'aimerais que tu aides Liam à faire ses exercices d'étirement. Comme ça, ce sera fait pour ce soir.

Si tu pouvais dégeler des cuisses de poulet pour le souper, aussi, ça me rendrait service.

Et prends un moment pour aller pelleter avec les garçons. La neige commence déjà à s'accumuler.

Euh… c'est l'armée, ici, ou quoi ? Moi qui croyais me prélasser toute la journée… Je pourrais me révolter, mais je me vois mal demander à mes parents de pelleter en revenant du travail. C'est plutôt le genre de réaction qu'aurait Nadeige.

✓ Elle crierait que c'est injuste.

✓ Qu'elle n'est pas une esclave.

✓ Que les droits de l'enfant la protègent contre ce genre de maltraitance.

✓ Qu'elle a besoin de repos pour grandir et s'épanouir.

✓ Que les tempêtes sont faites pour s'amuser, pas pour travailler.

✓ Et blablabla !

— Qu'est-ce qu'il y a, Émy-Lee? demande mon père en voyant un sourire illuminer mon visage. Tu ris de nous ou quoi?

— Non! Pas du tout, dis-je en secouant la tête. Je pensais à Nad, c'est tout.

Maman pose une main sur mon épaule. Elle sait à quel point ma BFF me manque. La connaissant, je suis sûre qu'elle donnerait n'importe quoi pour m'éviter de souffrir, peu importe la raison. Pendant que je me sers à déjeuner, mon téléphone sonne au fond de ma poche.

C'est Nad! Torbinouche! Comme si elle savait que je parlais d'elle!

Je suis certaine qu'elle m'écrit pour me remercier de l'avoir aidée avec son devoir de français. Oui, bon, elle ne me dira pas ça dans ces mots-là (Nad entretient une relation amour-haine avec la gratitude, les compliments et les félicitations), mais ça ne me dérange pas. Qu'elle m'écrive, c'est déjà une grosse étape en soi! Je lis son message, le cœur battant.

Salut, Émy. Tu es debout?

Oui! :) Comment tu vas?

303

Bien.

Tu sais qu'il n'y a pas d'école aujourd'hui?

Oui, oui, je suis au courant.

OK… Je voulais juste en être sûre.

Bon ben, je te souhaite une bonne journée.

Attends! Tu aimerais qu'on fasse quelque chose toutes les deux?

Nadeige met un moment à répondre. C'est bon signe, ça. TRÈS BON SIGNE! Ça veut dire qu'elle évalue cette possibilité. Je patiente en tenant fermement mon téléphone, comme si ma vie en dépendait. Au bout de quelques secondes (interminables!), elle tape enfin:

Rejoins-moi à la pâtisserie de la Troisième Avenue pour un chocolat chaud.

Dix heures, ça te va?

C'est une excellente idée, et ça me tente vraiment…

Mais je ne peux pas sortir.

Je garde Liam.

Noah et Jackson peuvent s'occuper de lui, non?

J'imagine, mais je ne suis pas à l'aise de le leur demander.

Tu veux venir à la maison?

Encore une fois, Nad réfléchit. Je sais qu'elle RÊVE de me rejoindre ici, mais son côté tête de mule (largement dominant) prend le dessus sur son gros bon sens (qui a tendance à se reposer de temps en temps).

Non, c'est bon, laisse faire.

Allez, Nad! On va s'amuser toutes les deux! Comme avant!

J'ai dit non, Émy. Je ne suis
pas prête. Bonne journée.

Et elle quitte la conversation.

Torbinouche! J'étais si près du but! Je
laisse tomber mon téléphone sur le comptoir,
frustrée, et prends une bouchée de céréales.
Cette fois, c'est Noah qui m'écrit.

Levée?

Oui. Je suis dans la cuisine.

Des plans pour la journée?

Non. Mis à part la liste bien
chargée de mes parents. 😦

Tu veux que je t'aide?

Ça paraît que tu n'as pas vu la liste!

T'inquiète. Ça ira bien.

Oh! Et tu peux y ajouter: «Donner un coup de main à Noah et Jackson pour préparer leur présentation orale.»

Soupir!

Je crois que j'aurais préféré aller à l'école, finalement.

Je prends une autre bouchée de céréales, mais elles sont rendues toutes molles. Comme moi, en fait… J'ai commencé ma journée avec dynamisme et bonne humeur, et voilà que je suis aussi pâteuse que ce flocon de maïs imbibé de lait. Je jette le tout dans le fond de l'évier et retrouve Liam dans sa chambre. Je l'aide à s'installer dans son fauteuil roulant et le pousse jusqu'à la salle à manger. Puis, je lui sers à déjeuner, pendant que les parents partent au travail. Les garçons nous rejoignent quelques minutes plus tard, de bien meilleure humeur que moi. Noah met de la musique (un groupe de rock que je ne connais pas), Jackson bouge la tête dans tous les sens à la manière d'un joueur de guitare, et Liam frappe dans ses mains pour les encourager.

Mon air morose s'envole peu à peu.

Liam a le don de me remonter le moral lorsque je me sens moins bien. Jackson aussi, d'ailleurs. Ils agissent comme des thérapeutes personnels. Je n'ai qu'à me plaindre un peu trop fort pour que la petite voix dans ma tête me ramène à l'ordre :

Cesse de rouspéter, Émy-Lee.
Tu pourrais être coincée dans un fauteuil roulant. Ou aveugle. Tu imagines ?

Je m'efforce donc de retrouver ma bonne humeur pendant que les garçons continuent de s'amuser. Liam les regarde en souriant, des étoiles dans les yeux. Il a tout de suite aimé Noah et Jackson. Dès le premier contact. Et maintenant qu'ils sont sur le point de rentrer en Alberta, je sens que son petit cœur se serre.

— Ne partez pas, d'accord ? dit-il aux jumeaux. Restez avec nous pour toujours.

— J'aimerais bien, répond Jackson en étirant le bras pour lui ébouriffer les cheveux. Le problème, c'est qu'Éli ne nous le pardonnerait jamais !

— Mais c'est toi, notre préféré ! ajoute Noah en faisant un clin d'œil à mon frère. Il faut que tu le saches.

— Ce n'est même pas vrai! dit Liam en rigolant. C'est aussi ce que vous dites à Éli! Je vous ai entendu lui parler, l'autre jour.

— Quoi? On n'a pas le droit d'avoir deux préférés? rétorque Noah d'un air étonné. Un ici et un là-bas. Moi, je trouve que c'est parfait!

Les garçons continuent de taquiner Liam pendant que j'essaie de ne pas trop penser à leur départ. Leur séjour parmi nous s'achève et j'ai l'impression de ne pas avoir assez profité d'eux. C'est vrai, j'étais tellement centrée sur mes problèmes avec Nadeige que je les ai un peu laissés de côté…

Mais bon, il n'est pas trop tard, n'est-ce pas? C'est maintenant que ça va changer! On va passer une super belle journée, parole d'Émy! Sauf si Nadeige revient sur sa décision, évidemment… Parce que si elle m'écrit, c'est clair que je ne pourrai pas résister à la tentation de l'inviter de nouveau à la maison. J'étais si près de la convaincre, tout à l'heure…

— Alors, Émy-Lee? Ça te dit ou pas?

Torbinouche! Un peu de concentration! Je me suis (encore!) laissé distraire par Nad, alors qu'elle n'est même pas là! De quoi il est question, au juste?

— Oublie ça, marmonne Noah en prenant une bouchée de yogourt. Tu as l'esprit ailleurs, ça se voit bien. On ira glisser une autre fois.

— Non, je veux y aller avec vous. En plus, Liam adore glisser, hein, Liam ? Je… je vais me ressaisir, dis-je en secouant la tête. De toute façon, c'est presque déjà réglé avec Nadeige.

— De quoi tu parles ? demande Jackson.

— J'ai pris les choses en main, vendredi dernier, dis-je en déposant des morceaux d'orange sur la tablette de Liam. Je lui ai rendu un immense service et je crois qu'elle est sur le point de me pardonner.

Noah me questionne du regard. Je lui explique ma fabuleuse idée, fière de mon coup, mais sa réaction m'étonne :

— Attends, tu veux dire que tu as fait le devoir de Nadeige ?

— Exactement !

— Mais à quoi tu as pensé ? C'est du plagiat, ça, Émy !

— Du plagiat ? Ben non, voyons ! Ce n'est pas comme si elle avait triché à un examen ou que je l'avais passé à sa place. C'est juste un petit devoir de rien du tout. Personne ne s'en apercevra.

Alors que Liam assiste à la scène sans la commenter, le visage des jumeaux trahit leur incompréhension. On dirait que je viens de leur annoncer que la terre est plate !

— Est-ce que Nadeige est bonne en français ? demande Jackson.

— Ouf ! Non, pas vraiment. Je dirais plutôt qu'elle en arrache…

— Mais toi, tu te débrouilles bien, poursuit-il pour faire valoir son point de vue.

— Exact ! C'est pour ça que je suis si fière ! Elle va avoir sa meilleure note à vie !

— Et tu continues de croire que personne ne s'en apercevra ? demande Noah en fronçant les sourcils.

— Oui, puisque j'ai ajouté des fautes par exprès. Je ne suis pas nouille, quand même !

Pendant que j'essaie de convaincre mes amis que j'ai pris la bonne décision, leurs arguments se frayent un chemin dans mon esprit. Et tout à coup, je commence à me dire qu'ils ont peut-être raison. Je suis l'élément déclencheur d'une série d'événements incontrôlables qui mènent à une catastrophe certaine…

① La prof de Nad lit son texte. Au bout d'un moment, elle comprend qu'il est trop bien écrit pour qu'elle en soit l'auteure.

② Elle convoque Nad pour un interrogatoire en règle.

③ À force de la questionner, de la menacer et de la torturer (oui, bon, j'exagère peut-être...), elle réussit à lui faire cracher le morceau: ce n'est pas elle qui l'a composé!

④ Nad est (encore une fois!) demandée au bureau du directeur.

⑤ Monsieur Lenoir se met très en colère. Il punit sévèrement Nadeige. (Retenue? Suspension de quelques jours? Expulsion à vie?)

⑥ Comble de malheur, il lui interdit de fréquenter son fils (alors qu'elle vient tout juste de se remettre avec lui!).

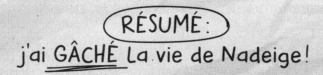

RÉSUMÉ:
j'ai <u>GÂCHÉ</u> la vie de Nadeige!

— Oh non… Qu'est-ce que j'ai fait ?

Je dépose l'assiette de Liam dans l'évier, les mains tremblotantes. Puis, je me laisse glisser au sol, le dos appuyé sur la porte du frigo. La céramique de la cuisine est froide et je sens les vibrations du moteur se répercuter dans mon corps. Mes yeux s'emplissent de larmes. J'enroule mes bras autour de mes genoux et y enfouis mon visage pour cacher ma honte.

— Ne t'en fais pas, Émy, me dit Noah pour me rassurer. Tu es une élève modèle. Je suis sûr que tu n'as jamais eu de retenue de toute ta vie.

— Le directeur comprendra que tu as fait une erreur, continue Jackson. Tu devrais t'en sortir sans trop de conséquences.

Je relève la tête d'un mouvement brusque.

— Vous n'avez rien compris ! dis-je d'une voix forte. Ce n'est pas pour moi que je m'inquiète ! C'est pour Nadeige !

J'essuie mes yeux et me lève d'un bond.

— Je me fiche de ce qui peut m'arriver. J'ai fait une bêtise et je dois en assumer les conséquences ! Mais une chose est sûre : il est hors de question que ma *best* paie pour mes erreurs !

— Qu'est-ce que tu vas faire ? demande Noah, visiblement étonné par ma réaction.

— Il me semble que c'est évident : je vais me dénoncer.

Salut, Sasha.

Hé, Émy. Ça va?

Correct. Dis, j'ai une question pour toi.

As-tu les règlements internes
du collège, quelque part?

Euh... Pourquoi j'aurais ça?

Parce que ton père est le directeur.

Et alors? Tu crois que je les garde
sur le coin de ma table de nuit?

OK. Laisse tomber si tu ne veux pas
m'aider. Je me débrouillerai autrement! 😠

Attends, Émy. Qu'est-ce qui se passe?

Rien. Je voulais juste avoir un aperçu des
conséquences prévues en cas de plagiat.

Disons que... c'est pour un devoir.

Un devoir ? Sur le plagiat ?

Ouin…

Attends… Est-ce que Nadeige est dans le trouble ? C'est pour cette raison que tu t'informes ?

Qu'est-ce qu'elle a encore fait ?

Rien du tout, je t'assure !

J'ai un peu de mal à te croire…

Tiens ça mort, d'accord ? Je gère.

Bonne journée !

OK, de toute manière, j'allais justement la rejoindre. Je lui demanderai de quoi il est question.

Non ! Ne fais pas ça ! Stp !

Je veux bien, mais tu devras tout me raconter. D'accord?

D'accord...

19

NADEIGE

En souriant, je fixe le message qui vient d'entrer sur mon cellulaire. La journée se déroule à merveille. J'avais encore oublié de faire mes devoirs hier soir, mais la tempête de neige surprise de ce matin fait que toutes les écoles sont fermées! J'aurai donc tout mon temps pour les terminer. Ce que je ferai ce soir. Parce que là, j'ai donné rendez-vous à Sasha à ma pâtisserie préférée!

Je ne sais pas ce qui m'a pris, ce matin, mais j'ai d'abord invité Émy. Sauf qu'elle ne pouvait pas. Ça règle la question. C'est que je ne suis pas certaine de ce que j'aurais bien pu lui dire en la voyant, en fin de compte...

Nad, c'est Sasha. Tu es où?

J'arrive.

Je me remets à marcher plus rapidement, mais un second texto entre.

D'accord, mais tu es où, là?

Hé! Je ne te croyais pas si
contrôlant, Sasha... 😊

Ce n'est pas ça! C'est juste que la
pâtisserie est fermée. J'attends devant
pour rien. On devrait se rejoindre ailleurs.

Je ralentis, les sourcils froncés. Comment ça, fermée? La pâtisserie où j'allais toujours prendre un chocolat chaud avec Émy ne PEUT PAS être fermée. C'est... c'est quasiment l'emblème de notre amitié! Bon, pas tout à fait, mais disons qu'on y est vraiment allées super souvent, elle et moi. Et de savoir qu'elle pourrait disparaître... ça me donne un coup. C'est pourquoi je me dépêche de répondre:

Fermée pour quoi? Réparations? Maladie?
Pas déménagement, quand même!

D'après moi, c'est pour toujours...

Tu es donc bien pessimiste, toi! La pâtisserie va sûrement rouvrir bientôt. Arrête de tout voir en noir. Je serai là dans deux minutes, maximum. Je me dépêche!

Je m'apprête à courir, quand je reçois un dernier texto de Sasha.

Ça m'étonnerait qu'elle puisse rouvrir un jour... la bâtisse a passé au feu! Un voisin vient de me dire que c'est arrivé il y a quelques semaines, déjà.

Cette fois, je m'arrête complètement.

Passé au feu?
Quand ça?

À ma connaissance, ils n'ont rien dit là-dessus à la télévision! D'accord, je n'habite pas dans une super grande ville, mais quand même! Ils auraient au moins pu l'écrire dans le journal du quartier! Non mais, c'est vrai!

Pourquoi je n'en ai pas entendu parler?!
Pourquoi je ne l'ai pas su???

Et puis, ça me frappe de plein fouet. Je comprends la raison pour laquelle je ne l'ai pas su avant…

Si Émy et moi avions continué d'y aller pour rigoler et déguster leurs délicieuses pâtisseries, nous serions au courant depuis longtemps déjà. Mais ce n'est pas le cas. J'avais un peu l'impression que tout, autour de nous, était sur pause. Alors qu'en fait la vie continuait. Malgré nous. Malgré notre absence. Malgré notre séparation…

Une boule de rage me monte à la gorge. Je dois voir les décombres. Là, tout de suite! Je me secoue, renifle un peu (j'avoue, j'avais les larmes aux yeux) et me mets à courir réellement, cette fois. Mais lorsque je tourne le coin de la rue où se trouve la pâtisserie, un vide se fait en moi.

Le bâtiment. Il est noir.
Et détruit presque entièrement.

Sasha se tient juste devant. Dès qu'il m'aperçoit, il lève la main pour me faire signe. C'est à peine si je lui réponds. Lentement, cette fois, je marche vers lui. Et vers le café. Je ne peux plus retenir mes larmes. Je me sens comme un bébé, mais c'est plus fort que moi.

Parce que de voir cet immeuble ainsi, ça me fait penser à ma relation avec ma *best*. J'ai peur que celle-ci aussi soit dans cet état.

Que des ruines. Sur lesquelles il est impossible de rebâtir...

Quand j'arrive à la hauteur de Sasha, celui-ci remarque enfin ma peine. Se doutant que je n'aurai pas le goût de me confier (ce n'est pas trop mon genre), il lève les bras pour me tirer contre lui. Je reste là un long moment, la tête appuyée sur son épaule. Sans dire un mot. Le temps de me calmer.

Et de me rendre compte que j'ai le nez qui coule, le visage dans un sale état, et un chum qui va sûrement me trouver répugnante dans trois, deux, un...

— Scuse, tu as un kleenex? lui dis-je avec la voix enrhumée.

— Euh... non, désolé, réplique-t-il, en me lâchant pour se mettre à fouiller dans ses poches.

— Zut... Minute, je vais...

Je me détache de lui et lui tourne le dos pour qu'il ne me voie pas ainsi. Je déteste avoir le nez qui coule de la sorte. Avant, je m'essuyais carrément avec la manche de mon chandail, mais à mon âge, ce serait vraiment…

YARK !

J'enfouis les mains dans les poches de mon manteau et… miracle ! Je trouve un vieux kleenex (espérons qu'il n'a jamais été utilisé…) que je me dépêche de me passer sous le nez. Une fois un peu plus présentable (ne sachant que faire du kleenex, je remets celui-ci au fond de ma poche), je pivote vers Sasha.

Il ouvre la bouche pour savoir si je vais mieux, mais je le bloque sur sa lancée et déclare :

— Il faut que je l'annonce à Émy. Elle ne va pas le croire !

Au lieu de me répondre, il sourit. Il doit se dire qu'entre ma BFF et moi, tout est réglé. Je n'ai pas tellement le temps de lui expliquer à quel point c'est compliqué. Je me contente de reprendre mon téléphone.

Émy, tu n'en reviendras pas !

Émy ? Tu es là ?

Émy ! Je dois te parler !

Nad? Désolée, on se prépare pour aller glisser.

Ah, enfin!

Qu'est-ce qu'il y a? Ça semble grave.

Oh non! Ne me dis pas que tu as reçu un coup de fil du directeur à cause de moi!

Je m'excuse x 1000, Nad! Je ne voulais pas que...

Hein? Aucune idée de ce dont tu parles.

Tu vas capoter en apprenant la nouvelle.

La nouvelle? Quelle nouvelle?

Je t'envoie une photo. Tu vas comprendre...

Pâtisserie.jpeg

Euh… qu'est-ce que c'est? Une bâtisse qui a passé au feu?

En quoi ça va me faire capoter?

Émy! Tu ne reconnais pas les lieux?!

Non. Je devrais?

Attends… je pense que…

Mais oui! C'est NOTRE pâtisserie, ça!

OUUUUUI!!!

ELLE A PASSÉ AU FEU?!?

Exactement!

Quand ça? Je n'en ai pas entendu parler. Et comment tu l'as su?

Ça fait quelques semaines. Je suis devant, avec Sasha. On allait prendre un chocolat chaud, tous les deux. Et c'est là que j'ai vu que...

Émy... tu crois que ça veut dire quelque chose ?

Non, Nad, ça ne veut rien dire du tout. Voyons ! Je sais ce que tu te dis, mais tu ne devrais pas. Notre relation n'est pas détruite comme cette pâtisserie ! Nous, on peut la reconstruire !

Je ne sais pas, Émy. Je ne sais plus...

J'ai l'impression que c'est un signe.

Ce n'est pas un signe du tout ! On doit se parler en personne. On va régler ça. J'en suis certaine !

Peut-être... En tout cas. Je vais y penser. On se réécrit. Là, je dois y aller. Il fait froid et mes doigts sont gelés. En plus, Sasha va finir par s'impatienter, à me regarder t'envoyer des textos.

> D'accord. Mais arrête de te faire des scénarios impossibles. Promis?

> PROMIS?

Dès que j'abaisse le bras et relève les yeux vers Sasha, celui-ci m'attrape le poignet et m'entraîne avec lui. Je ne sais pas du tout où il veut aller, alors je me dépêche de ranger mon cellulaire pour ne pas l'échapper. Nous tournons dans une rue, puis dans une autre, pour enfin déboucher sur un boulevard. Là, il y a des tas de restaurants et cafés.

Je ne viens pas souvent dans cette partie de la ville. D'abord parce que ce n'est pas très près de chez moi, mais aussi parce que c'est bruyant et que beaucoup de jeunes du collège y viennent. Je ne tiens pas spécialement à me mêler à eux. Émy me suffit... me suffisait, en tout cas.

Sasha, pour sa part, semble mieux connaître les lieux. Il m'indique un restaurant avec une grande terrasse. Il ne fait pas encore assez chaud pour y manger, mais je sens que l'endroit doit être beau, au printemps et en été. Ce serait bien d'y revenir avec... avec mon chum!

J'ai encore de la difficulté à y croire. Sasha et moi. Ensemble. Depuis le temps... j'avais fini par perdre espoir que ça se produise de nouveau. J'en étais à m'imaginer que notre couple était maudit. Cette pensée me fait sourire.

Émy me dirait que j'ai beaucoup trop d'imagination...

Sasha, qui s'est assis tout près de moi sur une banquette légèrement en retrait du reste des clients, remarque mon sourire. Il se penche et embrasse ma fossette, avant de se redresser, pour me murmurer :

— Je suis content que tu te sois réconciliée avec Émy-Lee. Vous êtes de bien trop bonnes amies pour ne plus jamais vous reparler. À cause de moi, en plus...

— Ce n'est pas à cause de toi! C'est elle qui... Je n'ai pas trop le goût d'en parler, d'accord?

— Ça me va. Je préfère mettre cette histoire derrière nous. Et repartir sur de nouvelles bases, termine-t-il en se penchant une fois de plus pour m'embrasser.

À croire qu'il ne peut se retenir! Et... je dois avouer que j'aime plutôt ça! Nous ne nous détachons l'un de l'autre que pour commander deux chocolats chauds (*extra crème fouettée pour moi*). Jusqu'à ce qu'une voix désagréable retentisse à nos oreilles...

— Ah ben, ah ben... Regardez-moi ça, les gars! V'là Nadeige pis le fils du directeur en train de se licher la face ben comme y faut!

Je me redresse aussitôt pour me tourner vers nul autre qu'Antony et sa bande, qui nous observent de leur propre table. Ils viennent d'y prendre place.

Je sens la main de Sasha prendre la mienne et la serrer. Il voudrait que je reste calme et que je ne les provoque pas. Je sais que c'est la chose à faire, mais... je ne peux m'empêcher de lancer:

— Ça ne risque pas de t'arriver de sitôt avec une fille. Tu pues tellement de la bouche que je le sens jusqu'ici!

OK. Parfois, je devrais réfléchir un peu plus avant de parler. Qu'est-ce que c'est, déjà, l'expression? Tourner sa langue cinq... six... non, la tourner sept fois dans sa bouche! Bon, ça ne changerait pas grand-chose dans mon cas, puisque même après avoir tourné ma langue, je finirais par lâcher des trucs idiots.

Je suis douée, pour ça...
Vraiment TRÈS douée.

Mais ça ne semble pas impressionner qui que ce soit, car Sasha me fait les gros yeux (je l'ignore, parce que... parce que je suis comme ça). J'en rajoute donc...

— De toute façon, même si tu ne sentais pas mauvais de la bouche, aucune fille ne s'intéresserait à toi parce que t'es aussi laid que...

— Nadeige, arrête ! gronde Sasha.

Les amis d'Antony se mettent à rigoler, tandis que ce dernier saute sur ses pieds pour s'approcher de nous. Je crois bien l'avoir mis en colère. Un point pour moi. Il pose les mains sur notre table et se penche dans ma direction, le visage grimaçant.

— Toi, espèce de p'tite co...

— OK, ça suffit, intervient Sasha en repoussant Antony pour qu'il ne s'approche pas davantage de moi. Lâche-nous un peu.

Mais ce qui empêchait Antony de se défouler sur moi ne semble plus exister quand il est question de Sasha. Il saisit le haut de son chandail à deux mains pour le relever brusquement.

> ARGH !
> Pas moyen d'être tranquille
> avec mon chum !

Ce n'est pas le temps de penser à ma malchance. Je me redresse et donne des coups sur les bras d'Antony pour qu'il relâche Sasha. C'est qu'il est vraiment musclé ! Il va finir par lui faire mal, s'il continue comme ça ! Pas le choix, je vais devoir prendre les grands moyens…

Je serre le poing, tout en laissant mon index et mon majeur tendus. J'enfonce ensuite ceux-ci dans la clavicule d'Antony avec force. Mais… ma technique n'est pas tellement au point, car il lâche Sasha d'une main pour la porter à mon visage et me fait brutalement retomber sur la banquette.

> POUACHE ! Même ses mains sentent mauvais ! Ce gars devrait vraiment apprendre à se laver ! Ça presse !!

Je n'ai pas le temps de lui en faire la remarque. Il faut dire que Sasha ne semble pas avoir apprécié le geste d'Antony envers moi. Il se libère de la poigne de ce dernier et lui donne une solide poussée qui le fait basculer vers l'arrière.

Ses amis, qui se sont relevés dès le début de l'altercation, hésitent sur ce qu'ils devraient faire. L'un d'eux suggère qu'ils nous règlent notre compte, tandis qu'un autre s'exclame :

— Le patron s'en vient ! *Come on*, on s'en va ! Ce n'est pas le temps de…

Trop tard : le propriétaire de l'établissement se précipite vers nous, tandis qu'un des serveurs se plante devant la porte pour en bloquer l'accès. Le proprio ne semble vraiment pas de bonne humeur. Et c'est le genre de personne qu'on ne veut pas mettre en colère. Grand et baraqué, l'homme soupire en nous regardant tour à tour. Puis, il nous dit de rester sagement assis pendant qu'une des serveuses va appeler la police.

Ah non ! Ce n'est pas vrai ! La police, il ne faudrait pas charrier, quand même ! Constatant que nous sommes mineurs, le propriétaire accepte alors de faire venir nos parents à la place. En ce qui me concerne, je ne suis pas certaine que c'est tellement mieux.

De toute évidence, je suis incapable de faire une sortie en amoureux bien tranquille…

La cloche installée au-dessus de la porte résonne quelques minutes plus tard. La silhouette du père de Sasha apparaît sur le seuil. Il est le premier à arriver sur les lieux. Dès qu'il aperçoit son fils, il fonce vers lui, mais il est intercepté par le patron, qui lui explique brièvement ce qui s'est produit.

Monsieur Lenoir hoche la tête en se passant la main dans les cheveux. Son regard va de Sasha à moi, avant de se poser sur Antony. Il plisse alors les yeux. Finalement, il remercie le propriétaire et s'avance vers nous. Juste avant d'arriver devant Sasha, il s'arrête en face d'Antony pour lui dire :

— Toi, dès le retour en classe, je veux te voir dans mon bureau. C'est clair ? Je sens qu'on va avoir une très longue discussion…

Antony ne réplique rien, mais renifle bruyamment. Le menton bas, j'observe ensuite Sasha s'éloigner avec son père. Il me jette un dernier coup d'œil, hésitant à me laisser là toute seule, mais mon propre père, toujours aussi enrhumé, entre justement dans le restaurant au même moment. Il paraît exaspéré. Je ne peux que le comprendre. Pauvre papa. Il n'a vraiment pas une enfant facile…

Il faut croire que c'est mon karma, de toujours me mettre dans le pétrin !

Nad? C'est quoi cette histoire de bagarre au restaurant?

Toute l'école ne parle que de ça!

Qu'est-ce qui s'est passé?

Tu es correcte?

Émy, je ne peux pas te répondre maintenant. Mes parents m'ont confisqué mon cellulaire pour deux jours. Je ne pourrai le récupérer qu'après-demain.

Comment tu fais pour m'écrire, alors?

Je l'ai pris en cachette pendant que j'allais aux toilettes. Mais je vais devoir aller le remettre dans la chambre de mes parents tout de suite après.

OK, mais tu te décides à m'expliquer ce qui s'est passé?

Après-demain, promis.

Et là, comment tu vas?

Ne panique pas. Je suis correcte.

Tu es certaine?

Oui. En plus, ce n'est pas ma faute du tout! C'est celle d'Antony et sa gang. Ces idiots sont venus nous déranger, Sasha et moi, au resto! On ne leur avait rien demandé, nous!

Bon, je te laisse.

D'accord, mais donne-moi des nouvelles.

Écris à Sasha, si tu veux en savoir plus. Il a peut-être le droit d'utiliser son téléphone, lui.

20

ÉMY-LEE

Je sens que tout dérape. Si je n'agis pas maintenant, je risque de perdre ma BFF pour le reste de mes jours! Je sais que ce n'est pas ma faute si elle est punie (j'ai bien envie de donner une bonne claque derrière la tête de cet idiot d'Antony!), mais le résultat est le même: on lui a confisqué son cellulaire. Ce qui veut dire que je ne peux ni lui écrire ni l'appeler. Déjà qu'on ne se croise pas souvent à l'école à cause de nos horaires… Je risque de me retrouver dans la section des «souvenirs d'autrefois» de sa mémoire si ça continue. Et si (en plus!) sa prof de français comprend que j'ai écrit le texte à sa place (ce qui ne tardera pas, à mon avis), alors là, ce sera la catastrophe! Ses parents ont déjà la mèche courte… Ce serait la goutte qui ferait déborder le vase.

Et comme je ne veux pas que ça arrive, j'ai décidé de prendre les choses en main! Oui, bon… j'ai l'air super brave, comme ça, mais la réalité, c'est que je n'ai presque pas dormi de la nuit tellement je suis nerveuse. J'ai tout fait pour me détendre, pourtant. Je suis même allée jusqu'à boire l'horrible tisane à la camomille et à la fleur de lotus de ma mère.

La vente de ce truc devrait être interdite partout dans le monde. C'est tout simplement dégoûtant !

Si je suis aussi stressée, c'est parce que c'est la première fois que je rends visite à une professeure (que je ne connais pas !) pour lui avouer que j'ai triché. Je manque clairement d'expérience en la matière, alors je me pose trente-six mille questions. Qu'est-ce que je dois lui dire, au juste ?

✔ Que je n'ai pas fait exprès ?

✔ Que c'est arrivé par accident ?

✔ Qu'on m'a menacée ?

✔ Que c'était une question de vie ou de mort ?

Hum, j'hésite. La vérité est souvent la plus efficace des stratégies…

Oui, voilà ce que je vais faire. Je vais tout lui raconter depuis le début. Je serai si touchante et attendrissante (je pourrais même essayer de verser quelques larmes, juste pour voir) qu'elle me laissera peut-être partir sans faire de vagues (on a bien le droit de rêver, non ?).

Le positif, c'est que je suis relativement bien préparée : j'ai fait mes recherches avant de me lancer dans la fosse aux lions. Je sais que la prof de Nad s'appelle madame Gosselin, qu'elle enseigne uniquement au régulier, que son cours se termine dans cinq minutes et qu'elle n'a pas l'habitude d'être très conciliante. Elle risque donc de m'accueillir durement et de me donner la pire conséquence de tous les temps. Mais ce n'est pas grave. Je suis prête à faire n'importe quoi pour sauver l'honneur de ma *best.* Il est hors de question qu'elle se retrouve dans le pétrin par ma faute !

Tout en déambulant nerveusement dans les corridors, je jette un œil à ma montre. J'ai quatre minutes pour trouver le local C-22. Ça fait longtemps que je ne suis pas venue dans cette partie du collège, et je ne suis pas trop certaine d'aller dans la bonne direction. C'est si calme… si silencieux. J'entends quelques professeurs s'adresser à leurs élèves à travers les portes de leurs locaux, mais c'est à peu près tout. J'emprunte le couloir qui se trouve sur ma droite et lève les yeux vers le numéro de porte.

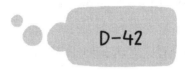

D-42

Hein? Comment j'ai fait pour me retrouver dans le secteur D? J'étais dans l'aile B, il y a une minute à peine! Je m'arrête pour tenter de comprendre la configuration de cette partie de l'école, mais j'ai beau essayer, je ne sais pas comment me rendre au bon endroit. Je décide de héler la première personne qui apparaît dans mon champ de vision.

— Excuse-moi!

L'élève se retourne… et je m'étouffe aussitôt avec ma salive.

Torbinouche! Talbot!

Mon cœur bondit dans ma poitrine. Talbot et moi, on s'est laissés sur une note un peu dramatique la dernière fois qu'on s'est vus. J'avoue que je ne sais pas trop comment réagir en sa présence. Et lui non plus, d'ailleurs. Il hausse un sourcil et fait quelques pas dans ma direction, visiblement étonné d'être tombé sur moi. Lorsqu'il s'arrête à ma hauteur, je baisse la tête, embarrassée.

— Salut, dis-je à voix basse. Qu'est-ce que tu fais ici ?

— Je distribue le journal étudiant, m'explique-t-il en me montrant la pile de journaux qu'il tient dans ses bras.

— Ah, cool. Ben oui, c'est important, le journal. Il faut se tenir informé, hein. Tu m'en donneras une copie, je…

— Et toi ? Pourquoi tu es là ?

— Eh bien, moi, je… je…

Les mots se perdent dans ma gorge. Maintenant que Talbot est en face de moi, je réalise que je me suis ennuyée de lui et de sa belle folie. Je n'aurais pas dû laisser ma crise existentielle mettre toute cette distance entre nous.

— Je n'aime pas les filles, tu sais, dis-je sans avertissement.

Talbot a un mouvement de recul. Puis, ses yeux s'illuminent. Je continue :

— Je veux dire… j'aime Nadeige plus que tout, mais c'est mon amie, pas ma blonde. En même temps, je ne peux pas vraiment dire qu'elle est mon amie, parce qu'elle refuse toujours de me parler, mais je suis en train de régler ça. C'est pour ça que je suis là. Il faut que tu saches que je risque d'être expulsée, alors ne t'étonne pas si je disparais pendant un petit bout de temps, d'accord? Ce n'est pas parce que je ne veux pas te voir.

Talbot ne répond pas. Je le questionne du regard pour avoir une idée de ce qu'il pense de tout ça, et il baragouine :

— Désolé, Émy-Lee. J'ai arrêté d'écouter à « Je n'aime pas les filles »... Tu ne sais pas à quel point tu me fais plaisir, là.

— Attends, ça ne change rien au fait que je ne veux pas de chum...

— Je m'en fiche. Ça veut dire que j'ai des chances. Peut-être pas aujourd'hui, peut-être pas demain, mais un jour, sûrement.

Et il me fait un sourire.

Je fonds. Je fais un pas dans sa direction et me précipite dans ses bras. Talbot me rend mon câlin avec émotion. Il me serre si fort que j'ai un peu de mal à respirer. À mon grand étonnement, je me trouve bien, comme ça, la tête blottie contre son torse, pendant qu'il caresse mes cheveux en douceur.

— Je ne suis pas amoureuse de toi, dis-je à voix basse. Tu le sais, hein ?

— Oui, Émy. Tu me l'as déjà dit. Mais ça ne me dérange pas. Je sais qu'un jour, tu changeras d'idée.

Je souris malgré moi.

Il n'y a aucune chance que ça arrive, mais je n'ai pas la force de briser ses illusions. Talbot a assez souffert à cause de moi. Je me défais de son étreinte et pose un bisou sur sa joue pour me faire pardonner. Au même moment, le son de la cloche retentit.

— Oh non !

— Qu'est-ce qu'il y a ?

— Madame Gosselin ! Je dois trouver le local C-22 ! Tu sais où c'est ?

— Le local C-22 ? répète Talbot en réfléchissant. Oui, je crois que c'est à l'autre bout de ce corridor.

Il pointe vers la droite, et je m'élance aussitôt au pas de course.

— Merci ! dis-je en levant un pouce. On se voit plus tard !

Zut de zut ! J'espère que j'arriverai à temps. Les portes des locaux s'ouvrent et des dizaines d'élèves surgissent dans le corridor. Poussez-vous ! Il y a urgence, ici ! J'accroche le bras d'une fille, je percute le sac d'une autre et fonce carrément dans un gars deux fois plus grand que moi.

— Hé! Regarde où tu vas!

— Oui! Désolée!

Je reprends ma course en zigzaguant dans la cohue, jusqu'à ce que j'arrive enfin devant le fameux local C-22.

Voilà, j'y suis. Je ne peux plus reculer.

En fait, oui, je peux reculer, mais je risque de percuter un élève ou de marcher sur les pieds d'un autre…

Mon cœur s'emballe.

Je me pousse sur le côté pour laisser passer les retardataires, tout en inspirant profondément. Je lisse ma jupe avec la paume de mes mains et replace une mèche de cheveux derrière mon oreille. Est-ce que la prof se montrera plus conciliante si je suis présentable? Aucune idée! Mais mieux vaut mettre toutes les chances de mon côté.

Je marche en direction de la classe et m'arrête juste avant d'entrer. Je croyais que madame Gosselin serait seule dans le local, mais, à ma grande surprise, elle est accroupie à côté d'une élève (vraiment blême!) qui est toujours assise à son pupitre. Elle lui parle doucement, tout en posant une main sur son front pour s'assurer

qu'elle n'est pas fiévreuse. Lorsqu'elle m'aperçoit enfin, elle fronce les sourcils et me demande :

— Qu'est-ce qu'il y a ?

— Euh… je… j'aurais aimé vous parler,
dis-je en bégayant.

— Ça ne peut pas attendre ? Je suis occupée.

— Oui… J'imagine…

Torbinouche que je suis déçue ! J'étais
prête, là ! Si je ne me confesse pas maintenant, ça risque d'être trop tard. Qui me dit que
madame Gosselin n'a pas encore commencé ses
corrections ? Le texte de Nadeige est peut-être
le prochain sur la pile !

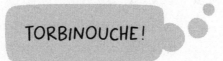

Je fonce !

J'entre dans le local d'un pas décidé, mais
au même moment, la jeune fille au teint blême
se lève et articule faiblement :

— Je crois… Je crois que je vais être
malade…

Et elle plonge la tête dans la poubelle.

TORBINOUCHE !

Je pivote sur moi-même et plaque mes mains contre mes oreilles. Mais c'est trop tard. J'ai déjà tout vu (et tout entendu)! OK, je dois m'en aller d'ici! Je refuse de me trouver une seconde de plus dans la même pièce qu'une fille qui a la gastro!

Au moment où je m'apprête à m'enfuir, la prof s'adresse à moi avec autorité:

— Va lui chercher une compresse d'eau froide à la salle de bain, s'il te plaît.

— Moi?

— Oui, toi! Je n'ai pas l'habitude de parler aux murs. Allez!

— D'accord.

Je fais demi-tour et me précipite dans les toilettes les plus proches. Comment ai-je pu me retrouver dans pareille situation? Je voulais me dénoncer, moi! Pas jouer les infirmières! J'arrache quelques bouts de papier à main, les passe sous l'eau et les rapporte dans le local au plus vite. Heureusement, la grande malade a cessé de vomir. Je lui tends les papiers mouillés en demeurant aussi loin que possible.

Et là, j'ai deux options.

1) M'enfuir et ne plus jamais revenir (option intéressante si je veux me protéger des particules de gastro qui flottent dans l'air ambiant).

2) Rester et régler la question une bonne fois pour toutes (option risquée pour ma santé physique, mais qui soulagera assurément ma santé mentale).

Je suis courageuse! Va pour l'option deux!

— J'avais une petite question à vous poser au sujet du devoir de français. Vous savez? La production écrite.

Madame Gosselin s'empare de la poubelle et la sort du local, avec une moue dégoûtée. Puis, elle me demande, sans prendre la peine de me regarder:

— Tu es dans ma classe?

— Non. Mais mon amie, oui. C'est Nadeige Leblanc. Vous la connaissez sûrement.

Elle s'arrête devant l'interphone, appuie sur le bouton et s'adresse à la secrétaire.

— Ça me dit vaguement quelque chose, me répond-elle ensuite.

— En fait, je me demandais si vous aviez commencé à le corriger…

— Quoi, ça?

— Le devoir.

— Pas encore.

Je respire un peu mieux. La voix de la secrétaire se fait entendre dans l'interphone. Madame Gosselin lui explique qu'une élève a été malade et qu'elle aimerait que le concierge vienne désinfecter les lieux.

«Je le contacte immédiatement. Dites à l'élève de se présenter à l'entrée, je vais appeler ses parents.»

— Merci beaucoup.

La prof se met un peu de gel antiseptique sur les mains et se retourne vers moi, étonnée de me voir encore là.

— Quoi? fait-elle, exaspérée.

— Ben... je crois que j'ai fait une bêtise, concernant ce fameux devoir, dis-je, consciente que le moment est mal choisi. Et je ne voudrais pas que Nadeige soit punie à cause de moi. Je voulais l'aider, mais j'ai peut-être exagéré en...

— Attends, tu es dans ma classe ou pas? me demande-t-elle une fois de plus, tout en aidant la malade à se lever.

— Non, mais...

— Alors je ne vois pas pourquoi elle serait punie ! Et toi non plus, d'ailleurs. Maintenant, si tu veux bien me laisser gérer ça, ajoute-t-elle en désignant l'élève et la poubelle dans le couloir d'un air dégoûté, je t'en serais reconnaissante.

— Oui, oui… Merci beaucoup pour votre écoute. Nadeige est mon amie, vous comprenez ? Je ne voudrais pas qu'elle paie pour mes erreurs. Elle a déjà accumulé assez de bêtises comme ça. Elle n'a pas besoin des miennes en plus, hein ?

— Tu t'en vas, oui ou non ?

Madame Gosselin me pointe la porte et je file en vitesse. Ouf, on peut dire qu'elle mérite sa réputation de grincheuse, celle-là !

Mais ça ne me dérange pas. J'ai eu ce que je voulais ! J'ai la certitude que Nadeige sortira indemne de cette fâcheuse aventure, alors je suis la fille la plus heureuse au monde ! Et peut-être la plus malade, aussi…

Soudain dégoûtée, je m'enferme dans les premières toilettes que je croise sur ma route pour effectuer un nettoyage de mains intensif. Il faut vraiment que je l'aime, ma Nad, pour endurer tout ça !

Salut, Nad.

Je voulais juste te dire que j'ai fait la paix avec Talbot.

Je tenais à ce que tu le saches.

Parce que tu es mon amie et que je me suis dit que tu serais fière de moi.

Oh, c'est vrai... Tes parents t'ont confisqué ton téléphone jusqu'à demain...

C'est pour cette raison que tu ne réponds pas.

C'est vraiment poche... ☹

Bon ben, je converse toute seule, on dirait bien.

C'est un peu bizarre.

Je ferais mieux d'arrêter ça.

Bonne fin de journée quand même.

21

NADEIGE

J'aurais dû me douter qu'elle reviendrait à la charge... Qu'elle ne me laisserait pas m'en sortir sans au moins faire une dernière tentative. Qu'elle essaierait de se rapprocher de moi, mine de rien. De qui je parle? De Noémie, bien sûr!

Ah, cette chère greluche...

J'en suis presque arrivée à penser à elle avec une certaine... une certaine tendresse (ouh, c'est bizarre, ça). Disons que j'ai appris à l'apprécier. Un peu, du moins. Mais présentement, alors qu'elle me bloque l'accès à la bibliothèque (je vous expliquerai plus tard ce que je fabrique là), elle me tape davantage sur les nerfs qu'autre chose.

— Nad...

— NAD-EIGE! Ce n'est pas compliqué, il me semble! dis-je avec impatience, alors que je tente tout de même de la contourner.

Elle se déplace sur la droite, ce qui me fait lâcher un grognement de frustration.

— Ouais, ouais, c'est ça. Nadeige… Tu fais quoi, là ?

— J'allais à… pas de tes affaires. Pourquoi tu veux savoir ça ?

— Parce que… Je peux venir avec toi ?

Cette fois, je hausse les sourcils, un peu surprise du ton qu'elle a employé. Quelque chose cloche. Noémie ne semble pas aller très bien. À moins que ce soit de la manipulation pure et simple pour que je lui permette de me coller aux fesses. J'éprouve une certaine curiosité, mais…

J'AI **ENCORE** UN FICHU DEVOIR À TERMINER !!!

Je sais, je sais ! Je ne fais que ça, accumuler des retards dans mes travaux, mais… C'est la faute de Sasha, aussi. Et de cette bagarre qui a eu lieu au resto, l'autre jour. Et aussi de…

Non. Il faut que j'arrête ça. Que je cesse de toujours rejeter la faute de mes actes sur tout le monde. Si je n'ai pas fait mes devoirs, c'est simplement parce que je n'ai pas pris mes études très au sérieux, ces derniers temps.

Et non, ce n'est pas à cause d'Émy. C'est MA faute. Carrément.

Mais je veux me racheter! Et ce, dès maintenant! Du moins, dès que Noémie m'aura lâchée, afin que je puisse aller travailler bien tranquillement à la bibliothèque. Le pire, c'est que…

Je ne me souviens même plus où elle est, la biblio! Le collège est ultra grand et je n'y suis quasiment jamais allée! Peut-être que si je demande mon chemin à la greluche, elle pourra me l'indiquer? Pas sûre qu'elle le sache plus que moi, mais ça vaut la peine d'essayer. Tant qu'à l'avoir dans les jambes…

— Ça dépend. Tu connais le chemin le plus rapide pour se rendre à la biblio? lui dis-je, mine de rien.

Pourtant, elle n'est pas dupe. Elle plisse les yeux, avant de déclarer:

— Toi, tu n'as aucune idée d'où elle se trouve!

— Hein?! Mais non, voyons! Je sais très bien qu'il faut… euh… tourner là-bas. Puis, prendre l'escalier et grimper à l'étage, pour ensuite… ben…

— Ah! Ah! Faux! La biblio n'est pas là du tout! On n'est même pas dans la bonne aile.

Il va falloir retourner sur nos pas. Viens, je te montre.

Je la laisse m'attraper le bras, pour me guider là où je veux aller. Toutefois, ce n'est pas long que je trouve qu'elle empiète sur mon espace vital. C'est quoi l'idée de se coller autant sur moi ?! Elle pourrait me laisser respirer, il me semble ! Je me tasse sur la droite, mais Noémie suit mon mouvement et ne me lâche pas d'une semelle.

Une vraie sangsue !

Au lieu de lui en faire la remarque, je me contente de lui demander :

— Comment ça se fait que tu connais l'emplacement de la biblio, toi ? Je ne me souviens pas de t'y avoir vue très souvent…

— Ça, c'est parce que tu n'y vas jamais ! Et pour être franche, j'aime bien lire.

Je manque de m'étouffer avec ma salive. Noémie aime lire ? Sérieux ? Depuis quand ? En plus, elle écrit tellement mal que je ne m'en serais jamais douté ! Mais elle ajoute alors :

— Ben quoi ?! Il y a des tonnes de romans d'amour, là-bas. Tu devrais essayer d'en lire.

Ah… il me semblait bien, aussi.

Je me dépêche de secouer la tête pour qu'elle ne s'imagine pas que ça pourrait m'intéresser avant de lâcher :

— Moi, j'ai juste besoin de faire mes devoirs. Je suis tellement en retard, tu n'as pas idée. Surtout en français. Je n'ai pas eu le temps de faire le dernier travail et j'ai remis une feuille blanche. La prof va sûrement me tomber dessus au prochain cours. En plus, elle est méga grincheuse, Gosselin…

Noémie s'esclaffe en entendant mes paroles. Aucune empathie pour moi. Je m'apprête à lui rétorquer que ce n'est pas très charitable de sa part, quand elle me suggère :

— Ne t'en fais pas pour ça. Mais la prochaine fois, tu n'auras qu'à dire que ton ordinateur t'a lâché.

— C'était un travail à faire à la main…

— Ben… que ton chien l'a mangé, alors !

— Je n'ai pas de chien.

— Je ne sais pas, moi… ! Tu es gossante, quand tu veux. Dis que tu étais malade ! Trouve une excuse et c'est tout. Les profs s'en fichent, au fond. Ils sont prêts à tout pour que la moyenne de leur classe ne baisse pas. Alors, ils vont te laisser des dizaines de chances, avant de te donner zéro. Je le sais, je passe mon temps à remettre mes trucs en retard.

Je lui jette un coup d'œil, sceptique. Pas certaine que mes enseignants me donnent autant de chances. J'ai l'impression que je suis loin d'être dans leurs bonnes grâces, moi! Et je ne comprends pas pourquoi! Je suis pourtant tellement sympathique!

Sarcasme...

Je ne prends pas la peine de répliquer quoi que ce soit à Noémie, alors que nous grimpons l'escalier menant à l'étage. Moins de deux minutes plus tard, nous voilà devant le local de la bibliothèque, qui est... FERMÉ!

Comment ça?! Pourquoi?? Qu'est-ce que???

Ça m'arrive tout le temps, ce genre de trucs! Je dois être la fille la plus malchanceuse qui soit, quand il est question de mes études! Frustrée, je me mets à rager, tandis que Noémie s'approche de la porte du local, pour y lire la petite note qui y a été collée.

— Hum... ça dit que la biblio n'est pas ouverte à cause de... Attends, ça veut dire quoi, ce mot?

Tout en continuant de rager, je me penche à mon tour sur la feuille.

— Restructuration... Aucune idée. Je demanderai à Émy.

Noémie se redresse immédiatement, les lèvres pincées.

— Émy? Vous êtes redevenues amies?

Je hausse les épaules, ne sachant que répondre à cela. Et pour que Noémie ne continue pas son interrogatoire, je change de sujet:

— Ça me fait penser... pourquoi tu n'es pas avec Jordane, aujourd'hui? Tu es tout le temps avec elle, ces temps-ci.

— Bah... elle m'énerve un peu, en fait. Elle passe son temps à parler de Sasha. Je lui ai dit qu'il sortait avec toi, mais elle s'en fiche.

Je me retiens de lâcher un gros mot. Cette Jordane, je la déteste! Dire qu'elle vit chez MON chum! J'ai vraiment hâte qu'elle s'en aille, en tout cas! Je vais d'ailleurs écrire à Sasha, juste pour m'assurer qu'il n'est pas avec elle en ce moment. Ça se pourrait, elle le suit comme un petit chien...

Non. Je ne suis pas une fille jalouse.
Je surveille mes arrières. Nuance.

Sans plus me soucier de Noémie, j'attrape mon cell et envoie un texto à Sasha.

Salut! Tu es à la cafèt' en train de manger avec Émy?

Allô! Non, je suis sorti.

Du collège? Tu as le droit de faire ça durant le dîner?

Disons que j'ai eu une permission spéciale...

Mouais... c'est vrai que tu as de bons contacts. :)

LOL. En effet. Sans farce, c'est mon père qui m'a demandé de lui rendre service.

Comment ça?

C'est pour le départ des élèves qui font l'échange. Il voulait que j'aille acheter deux-trois trucs. Pour une surprise.

Ah…

Et toi ? Tu es en train de manger ?

Non. Je voulais aller faire mes devoirs à la biblio, mais elle est fermée !!!

Je sais. C'est là qu'aura lieu la surprise, justement ! Mais il ne faut pas le dire.

Bon… je n'aurai pas le choix, alors. Je ne pourrai pas finir mes devoirs…

Mais non, Nadeige ! Trouve un autre coin tranquille.

On verra. Je te laisse, je n'ai presque plus de temps devant moi. Bisous.

Hé, Nadeige…

Quoi?

Je t'aime...

Je souris encore quand je replace mon téléphone dans ma poche. Ce que s'empresse de me faire remarquer Noémie.

— Ouin… c'est vraiment l'amour fou entre vous deux !

Pas besoin de répondre quoi que ce soit. Mon expression parle pour moi. À la place, je lance :

— Ne t'en fais pas. Tu vas sûrement te faire un chum très bientôt, toi aussi. Il faut juste que tu vises un peu plus haut que cet idiot d'Antony.

— Hum… ça me rappelle un truc. Tu savais qu'il avait été expulsé de l'école, après ce qui s'est passé dans le restaurant ? Le directeur a même trouvé de l'alcool dans son casier, tu imagines ?!

— C'est vrai ? Je pensais qu'il serait seulement suspendu… En tout cas, c'est bien fait pour lui. Quel crétin, ce gars !

— Je ne peux pas imaginer que je l'ai déjà trouvé à mon goût…

— C'est clair !

Et moi, j'ai de la difficulté à croire que je viens de dire ça à Noémie. Il n'y a pas si longtemps, j'aurais plutôt cru qu'elle méritait un idiot de ce genre. Alors que maintenant… même si nous ne serons jamais les meilleures copines du monde, je dois bien le dire : j'apprécie (*un peu*) cette fille. Derrière son côté greluche, il y a quelque chose d'intéressant en elle. Quelque chose qui vaut la peine qu'on creuse un peu…

Mais ce n'est pas aujourd'hui que je vais le faire, car il ne me reste que… ARGH ! Non ! Ce n'est pas vrai ! La cloche est sur le point de sonner. Je n'ai pas eu le temps de commencer le moindre devoir. À croire que le sort s'acharne sur moi !

Par contre, si je me dépêche, je pourrai peut-être arriver en avance à mon cours, m'installer et faire quelques numéros. Oui ! C'est ce que je vais faire ! Sans prendre le temps d'expliquer mon plan de match à Noémie, je tourne les talons et accélère pour me rendre à mon local le plus vite possible.

Elle m'emboîte tout de même le pas, jacassant à mes côtés. Lorsque nous débouchons devant la salle de cours, nous constatons que la prof n'est pas encore arrivée, et que nous allons donc devoir attendre dans le couloir.

Quand rien ne va...

Dos au mur, je me laisse tomber au sol et sors rapidement mes cahiers. Je tente ensuite tant bien que mal de répondre à une, deux, trois questions, mais Noémie ne fait que parler et parler encore, ce qui nuit à ma concentration (qui n'est déjà pas optimale, il faut bien le dire).

À peine quelques minutes plus tard, notre enseignante tourne le coin du couloir. Madame Gosselin semble surprise de nous voir assises par terre, mais dès qu'elle m'aperçoit, son visage se ferme. Bon… une autre qui ne m'apprécie pas tellement. Sans nous dire un mot, elle déverrouille la porte et invite Noémie à entrer. Moi, elle m'ignore superbement. Génial…

Je me faufile en vitesse jusqu'à mon bureau sans en faire de cas et je tente de continuer de travailler. Toutefois, l'arrivée des autres élèves ne fait que me déranger. Je finis donc par soupirer et par tout lâcher. De toute évidence, ce n'est pas aujourd'hui que je me mettrai à jour dans mes travaux.

Je repousse ceux-ci et empoigne mon cellulaire une fois de plus pour écrire en douce à Sasha. L'enseignante se tient encore sur le seuil de la porte, alors elle ne risque pas de me voir faire.

Encore moi... Tu es de retour?

Sasha?

Ohé... Tu es là?

Bon, en tout cas. Après le cours, on s'attend près de mon casier?

Hum... la surprise pour les élèves de l'échange semble accaparer tout ton temps. Mais pense tout de même un peu à moi durant la dernière période...

Je referme mon téléphone, dépitée. Je ne sais pas ce que fabrique Sasha, mais je me dis qu'il pourra tout me raconter en fin de journée. En attendant, je vais devoir passer au travers d'un autre cours méga ennuyant.

Sauf qu'au moment où je me fais cette remarque, la professeure referme la porte de la classe et vient se poster à l'avant. Puis, elle se met à parler de plagiat, de déception, et de tout un tas de trucs qui ne m'intéressent absolument pas. Du moins, jusqu'à ce que son regard se pose sur moi et qu'elle cesse de parler.

Euh… j'ai un truc sur le visage ou quoi? Pourquoi tout le monde me regarde comme ça? Seule Noémie semble désolée pour moi. Je sens le jugement dans l'expression des autres.

Ne sachant trop ce qui se passe (j'en ai peut-être manqué un bout), je finis par me racler la gorge, avant de demander:

— Qu'est-ce qui… qu'est-ce qu'il y a?

— Ce serait plutôt à moi de te poser la question, tu ne crois pas? réplique madame Gosselin.

— Hein? Je ne suis pas certaine de comprendre…

— Dans ce cas, ce serait peut-être mieux que tu ailles en parler directement avec le directeur. Allez, prends tes choses et sors de la classe.

Je sens mon corps se couvrir de frissons. Aller chez monsieur Lenoir ne m'effraie pas du tout, à la condition que je sache pourquoi ! Mais n'ayant pas trop le choix, je me relève, attrape mes cahiers et obéis à la prof, totalement confuse.

Qu'est-ce que j'ai encore fait, moi ?

Émy?

Désolée, je ne peux pas vraiment t'écrire, là.

Oui, je sais, tu es en plein cours. Ce ne sera pas long.

Jackson et Noah vont bientôt commencer leur présentation orale. Je veux les écouter.

Je me dépêche : Sasha est de retour en classe ? Il ne répond pas à mes textos.

Euh… non. Il n'est pas là. Il avait une course à faire pour son père, mais il n'est pas encore revenu.

Oui, je sais… OK, quand tu le verras, peux-tu lui dire que je ne pourrai peut-être pas aller le rejoindre aux casiers comme prévu.

Je suis en classe, Nad !

S'il te plaît, Émy ! Je ne t'en demande pas tant !

C'est bon. Je lui ferai le message.

Merci !

22

ÉMY-LEE

J'espère que monsieur Gilbert ne m'a pas vue en train de texter! Je lève les yeux vers l'avant de la classe, tout en rangeant discrètement mon téléphone dans le fond de ma poche. C'est bon. Il n'a rien remarqué. Il faut dire qu'il est pas mal occupé à réprimander Xavier et Henri. Les deux gars ont bien réussi à mettre la pagaille dans la classe pendant leur présentation orale. Leur sujet était pertinent, pourtant:

> Les frères Wright.
> Les premiers humains à
> avoir volé en avion.

Le problème, c'est la méthode qu'ils ont utilisée pour nous le faire découvrir. Ils ont commencé par nous présenter leurs recherches en simulant un dialogue particulièrement comique. Jusque-là, ça allait. Tout le monde s'est mis à rigoler, mais ce n'était pas catastrophique. C'est quand ils ont commencé à lancer des avions en papier que ça s'est gâté…

Ils étaient couverts de messages ridicules et de blagues osées!

Bien vite, les autres élèves se sont mis à les lire à voix haute… et c'est là que ça a dégénéré. Monsieur Gilbert s'est fâché, et les deux gars se sont défendus en disant qu'ils avaient fait preuve d'originalité (on ne peut pas leur enlever ça!). En résumé, Nad a trouvé le bon moment pour me texter : personne ne faisait attention à moi. Maintenant que le calme est revenu, le prof retourne s'asseoir à son bureau, encore un peu chamboulé.

— Bon, passons à l'équipe suivante, annonce-t-il en s'essuyant le front avec le revers de sa manche. Jackson et Noah, vous êtes prêts ? On a bien envie d'entendre le résumé de votre séjour parmi nous.

Mes deux amis font signe que oui et se lèvent en même temps. Ils mettent un petit moment à installer leur matériel et commencent enfin leur présentation. Les premières minutes sont consacrées à la description de leur mode de vie sur leur ranch, en Alberta. Puis, ils nous expliquent comment Jackson a réussi à s'adapter si facilement dans notre école malgré son handicap. Évidemment, son équipement spécialisé lui a été d'une grande aide, mais à mon avis, son courage et sa persévérance y sont pour beaucoup.

En terminant, ils font l'éloge de ma famille, en soulignant à quel point ils ont été bien accueillis. Ils parlent de mes parents, de Liam, et même de moi. Soudain, je réalise que je vais m'ennuyer d'eux lorsqu'ils seront partis. Je me suis habituée à leur présence. La maison sera bien vide, tout à coup…

Trois jours… C'est le temps qu'il me reste pour profiter de notre belle amitié. Ensuite, je devrai leur faire mes adieux. Liam est persuadé qu'on trouvera le moyen de se revoir à un moment donné, mais personnellement, j'en doute. Ce n'est pas la porte à côté, l'Alberta. Je suis déjà chanceuse d'y être allée une fois !

Chose certaine, Jackson et Noah seront toujours mes amis. Leur présence dans ma vie, même si elle a été de courte durée, restera gravée dans ma mémoire à tout jamais. Rien qu'à l'idée de les laisser partir, je me sens chamboulée. Dire qu'en ce moment, Sasha et sa petite équipe travaillent à préparer une fête de départ pour les élèves qui retournent en Alberta.

> Je ferais mieux de regarder ailleurs,
> sinon je risque de me mettre à pleurer...

Tandis que je ferme les yeux pour tenter de me contrôler, une voix me fait sursauter. C'est celle de la secrétaire, qui s'adresse à nous par l'interphone.

— Je m'excuse de vous déranger, monsieur Gilbert.

Jackson et Noah s'interrompent pendant que le prof répond.

— Oui ?

— Pouvez-vous demander à Émy-Lee Samson de se présenter au secrétariat, s'il vous plaît ?

— Pas de problème, je vous l'envoie immédiatement.

— Dites-lui d'apporter toutes ses affaires.

Émy-Lee Samson... C'est moi, ça. Torbinouche ! Je crois que c'est la première fois qu'on me fait venir au secrétariat. J'espère qu'il n'y a rien de grave. Tout de suite, j'imagine qu'il est arrivé quelque chose à papa et maman... ou même à Liam ! C'est clair que je perds connaissance si c'est un policier qui m'accueille une fois rendue là-bas.

« Bonjour, mademoiselle Samson.
Je suis le sergent Tremblay.
Je suis désolé de t'apprendre que… »

Non ! Je ne peux pas penser au pire, voyons !
Peut-être que le concierge a seulement retrouvé
ma boîte à lunch.

Personne n'est appelé au
secrétariat pour une boîte à lunch
retrouvée ! FRANCHEMENT !

— Tu y vas, Émy-Lee ? demande monsieur
Gilbert.

— Hein, quoi ? Ah… oui, oui.

Je me lève de ma chaise, sous les regards
de mes camarades, et ramasse mes affaires en
silence. Mes doigts sont si agités que j'échappe
trois fois mon étui à crayons. Une fois que j'ai
toutes mes choses, je me dirige vers la porte,
le cœur battant. Je jette un regard à Noah, qui
hausse les épaules pour me montrer qu'il n'est
au courant de rien, et je sors finalement de la
classe.

Je suis un peu confuse, je l'avoue, pendant
que je marche dans les couloirs silencieux de
l'école. Si je pouvais me téléporter au secrétariat

en une fraction de seconde, je crois que je le ferais. Mais je ne suis pas magicienne et je n'ai aucun pouvoir non plus. En même temps, c'est peut-être mieux ainsi. Ça me laisse le temps de me préparer au pire.

Je compte mes pas pour occuper mes pensées.

Cent soixante-douze. C'est le nombre d'enjambées que je dois faire pour arriver à destination. Il en aurait probablement fallu moins à Nadeige, étant donné qu'elle a de plus grandes jambes. Puisqu'il n'y a aucun policier en vue (quel soulagement !), je m'adresse directement à la secrétaire :

— Bonjour, je suis Émy-Lee Samson.

— Monsieur Lenoir t'attend dans son bureau, m'informe-t-elle sans cesser de taper sur son clavier. Tu peux y aller.

— Monsieur Lenoir ? Dans son bureau ?

— Oui, c'est juste là, à ma gauche.

Je jette un œil à la porte fermée et me retiens pour ne pas pleurer. Peu importe ce que je vais découvrir de l'autre côté de cette porte, j'ai l'impression que je n'aimerai pas ça. Je frappe trois petits coups... et le directeur m'ouvre presque aussitôt. Il pince les lèvres et me fait signe de m'asseoir sur la chaise libre. Juste à côté de...

— Nadeige ? Qu'est-ce que tu fais là ?

Lorsque mon amie me voit entrer, son visage retrouve un peu de ses couleurs. Elle hausse les épaules, l'air déboussolée, et se justifie du mieux qu'elle le peut :

— Je n'en sais rien, Émy ! Je te jure ! Le directeur… monsieur Lenoir, je veux dire… il ne veut rien m'expliquer du tout !

Je m'assois à la droite de Nadeige, un peu perdue. J'avoue que je ne comprends pas trop ce qui se passe moi non plus. J'articule à mi-voix :

— Tu as sûrement fait une autre bêtise.

— Même pas ! Enfin, pas à ce que je sache. Je suis super sage depuis… depuis au moins deux jours.

Devant nous, monsieur Lenoir s'assoit à son bureau et croise les mains. Il n'a pas l'air content. Pas content du tout !

— Ça suffit, toutes les deux.

J'avale ma salive avec difficulté. À côté de moi, Nadeige est si agitée qu'elle martèle le sol avec ses talons, au grand désespoir du directeur, qui soupire bruyamment. J'ouvre mon sac à dos en vitesse et lui donne la petite boule de caoutchouc que je garde dans mon étui à crayons pour les moments stressants. Nad me regarde avec étonnement, prend l'objet que je lui tends et se met à le manipuler (je dirais même à le malmener !) de toute ses forces.

— Merci, souffle-t-elle.

— Pas de quoi.

Monsieur Lenoir se racle la gorge avec bruit. Son visage trahit une déception impossible à cacher.

— Vous savez toutes les deux pourquoi je vous ai convoquées, commence-t-il, avant que Nadeige l'interrompe :

— Non ! Justement ! s'exclame-t-elle en élevant le ton. C'est ce que j'essaie de vous dire depuis tout à l'heure !

— Laisse-moi parler, Nadeige, veux-tu ? Inutile de jouer à celle qui ne comprend pas.

— Mais c'est vrai, pourtant !

— J'ai dit ça suffit !

Je lève un doigt hésitant et prononce faiblement :

— Pour être honnête, je me demande ce que je fais ici, moi aussi. Si vous pouviez nous expliquer, ça nous aiderait.

Monsieur Lenoir appuie ses coudes sur son bureau, se penche vers l'avant et plonge ses yeux dans les miens.

— J'avoue que je suis déçu, Émy-Lee. Je t'ai toujours considérée comme une élève modèle depuis ton arrivée dans cet établissement, et voilà que tu te laisses entraîner dans des histoires de plagiat. Il faut croire que les comportements problématiques de Nadeige ont fini par déteindre sur toi...

Comportements problématiques ?
PLAGIAT ?

Oh ! Je viens de comprendre !

— Vous parlez du devoir de français, c'est ça ? dis-je, soudain soulagée.

— Exactement.

— Ah, mais vous vous en faites pour rien ! Cette histoire est déjà réglée. Je suis allée voir madame Gosselin, l'autre jour, et elle m'a assuré que c'était correct.

Nadeige tourne la tête dans ma direction, les sourcils froncés.

— Quel devoir ? demande-t-elle avec étonnement. Comment tu connais Gosselin, toi ? Madame Gosselin, je veux dire... Elle n'est pas ta professeure, à ce que je sache.

— Ce n'est pas la version que m'a donnée l'enseignante, répond monsieur Lenoir, sans faire attention au commentaire de Nadeige. La vérité, c'est qu'elle aimerait que je vous expulse toutes les deux.

— Pardon?

— Je suis assez d'accord avec elle, pour être honnête. Votre comportement est inacceptable.

— Je… mais non, voyons… Ce n'est pas…

Tandis que je cherche mes mots (et que les larmes se frayent un chemin sur mes joues), Nadeige s'impatiente:

— Allez-vous finir par m'expliquer ce qui se passe? Si je suis expulsée, j'aimerais bien qu'on me dise pourquoi!

— Tout est ma faute, Nad, dis-je en m'essuyant les yeux d'un geste nerveux. Je… je voulais seulement t'aider.

Je prends une seconde pour réfléchir, alors que mon cœur bat à tout rompre dans ma poitrine. Si j'avais su que la situation dégénérerait à ce point, je n'aurais jamais fait ce fichu devoir! Je m'empare d'un mouchoir dans la boîte qui se trouve sur le bureau et souffle dedans avec bruit. Pendant ce temps, Nadeige argumente du mieux qu'elle le peut (la pauvre, elle n'est au courant de rien!), tandis que le directeur s'impatiente de plus en plus. À moi de porter le blâme, puisque je suis la fautive. Je commence donc mon récit, la voix tremblotante:

— Écoutez… Ce que vous devez savoir, c'est que Nadeige n'est pour rien dans cette histoire.

Je marque une pause, le temps d'inspirer profondément, et je poursuis :

— C'est ma meilleure amie de tous les temps, vous comprenez ? Je ferais tout pour elle. Je… j'ai perdu sa confiance en faisant une énorme bêtise, le mois dernier. Et là, je voulais seulement me racheter en lui évitant une autre retenue. C'est pour ça que je me suis chargée de son devoir sans le lui dire.

Le silence emplit la pièce. Monsieur Lenoir me regarde sans broncher, tandis que Nadeige me demande, les yeux ronds :

— Tu as fait ça pour moi, Émy ?

— Oui… Je pensais que tu étais au courant, mais que tu avais fait semblant de rien…

— Mais non ! Je croyais avoir remis mon cahier de rédaction complètement vide ! Si je l'avais su, je t'aurais remerciée, c'est certain ! Wow, Émy… Tu as pris un risque énorme !

Un petit sourire apparaît au coin de mes lèvres. C'est rare que je réussisse à impressionner Nadeige de la sorte.

— Ça ne change rien au fait que tu as triché, jeune fille, argumente monsieur Lenoir.

— C'est vrai, dis-je en hochant la tête, la voix de plus en plus faible. Sur le moment, je n'ai pas réalisé que c'était du plagiat. C'est seulement plus tard, en discutant avec Jackson et Noah, que j'ai compris la gravité de mon geste. Je m'en voulais à mort, alors je suis allée voir madame Gosselin pour me dénoncer. Je pensais que tout était réglé.

— Elle dit que tu as profité d'une situation d'urgence pour lui tendre un piège, m'explique monsieur Lenoir.

— Oui, j'avoue que le moment était mal choisi, dis-je, le cœur de plus en plus gros, mais ce n'était pas voulu. Et ce n'est pas une raison pour revenir sur sa parole. Vous comptez vraiment me punir ?

Les larmes coulent à flots sur mon visage. Je ne peux m'empêcher d'imaginer la réaction de mes parents quand ils apprendront ce que j'ai fait. Ils seront tellement déçus ! Tandis que je me mouche une deuxième fois, Nadeige pose une main sur mon épaule.

— Je n'en reviens pas de ce que tu as fait pour moi, Émy.

— Ça m'a semblé naturel…

— Oui, mais quand même ! Je ne mérite pas une amie comme toi.

— Non, c'est moi qui ne mérite pas une amie comme toi.

Nadeige me sourit, et je lui souris à mon tour. On n'a pas besoin d'en dire plus pour se comprendre. Tout est pardonné. Tout est oublié. Les BFF sont de retour !

J'ouvre la bouche pour commencer notre décompte.

— Trois…

Elle me répond aussitôt :

— Deux…

Je continue d'une voix chargée d'émotion :

— Un…

On se lève toutes les deux et on se fait le plus beau, le plus long et le plus merveilleux des câlins de BFF au monde. L'instant est parfait. Nos retrouvailles sont si touchantes que j'éclate littéralement en sanglots. Nad et moi sommes si occupées que nous ne réalisons pas que monsieur Lenoir reçoit un appel important. Jusqu'à ce qu'il s'adresse à nous d'un ton paniqué :

— Vous pouvez partir ! Allez ! Sortez d'ici, je dois me rendre à l'hôpital !

— Hein, mais pourquoi ? lui demande Nadeige, étonnée. Vous êtes tout blême.

— C'est Sasha…

— Quoi, Sasha ? lance ma *best* en me relâchant complètement.

— Il a rencontré Antony en revenant au collège et… je n'en sais pas plus !

À suivre…

Tu as le goût de TOUT SAVOIR sur la série BFF ?
Tu veux nous faire part de sujets ou d'aventures que tu aimerais qu'on aborde, Nadeige et moi ?
Tu souhaites participer à nos FABULEUX concours ?
Clique J'AIME sur la Fan page BFF sur Facebook et écris-nous !
N'hésite pas à la partager avec tes amies !
RETROUVE LES AUTEURES SUR FACEBOOK :
Marilou Addison auteure
Geneviève Guilbault, auteure jeunesse
ET SUR INSTAGRAM :
marilouaddison
genevieveguilbault_auteure
À bientôt !

DANS LA MÊME
COLLECTION

Ma première BFF

DÉCOUVRE LES PREMIÈRES ANNÉES D'AMITIÉ DE TES BFF PRÉFÉRÉES...

tome 1

tome 2

tome 3